地

八丁堀・地蔵橋留書1

浅黄 斑

時代小説

二見時代小説文庫

北暝の大地——八丁堀・地蔵橋留書1

目次

序　著者謹啓

平成二十三年（二〇一一）三月十一日、東北地方は、なんの前触れもなく大地震に襲われ、その後の大津波で、未曾有《みぞう》の被害を受けた。

衷心よりお見舞いを申し上げ、一日も早い復興のほどをお祈りする。

さて、陸前高田市においても、市街地の大半が濁流に飲み込まれ、壊滅的な打撃を受けた。

その陸前高田市の旧家のひとつ、茂木家《もぎけ》においても同様の大難に遭ったが、漆喰《しっくい》塗りの蔵ひとつが半壊状態で残った。

しかしながら、海水は容赦なく蔵にも入り込み、多くの文物や古文書が傷手をこうむっている。

だが、幸いにして流出だけは免れた。

奈良市にある埋蔵文化財センターでは、ただちに、東北各地の学術団体と連繋し「文化財レスキュー」事業を開始して、東北各地の水損古文書の保存に立ち上がった。

というのも、水損古文書にとっての最大の敵は、カビと腐食であって、まずはそれをとめるため、できるかぎり早く冷凍保存することが必要であった。

そして埋蔵文化財センターには、世界最大級の真空凍結乾燥設備がそなわっていたのである。

茂木家文書も、マイナス四十度で凍結、真空状態のもとで水分を除去したのち、純水で土砂を除去し、エチルアルコールで殺菌、さらに脱塩処理を施して再び凍結乾燥ののち、ガス燻蒸《くんじょう》、といった手順で保存と修復がなされていった。

といっても、救出すべき古文書の数は膨大であった。

そのようなわけだから、修復を終えた茂木家文書の一部が、翌年の五月に岩手文化大学に戻ってきたのは、まこと奇跡的なスピードであったといわなければならないだろう。

さて、一人の研究員が、これから解読にかかろうと、綴じ紐が除かれた、比較的大部と思われる古文書の束を繙《ひもと》いて、僅かに首を傾げた。

『地蔵橋留書《じぞうばしとめがき》』

やや滲んではいるが、そう題された横には〈不可許他見〉の文字がある。

首を傾げたのは、なにやらそこに秘密めいた匂いを嗅いだからにちがいない。

そこで、ぱらぱらと散見したところ、回想記のようなものであろうと判断した。

それも、どうやら江戸町奉行所の同心が書いたもののようである。

はて、江戸の町方《まちかた》同心の回想記が、なにゆえ陸前高田の旧家に残っていたものか。

まるで、見当がつかない。

そこで奥書を見ると、

「明治二十九年丙申《へいしん》の年（一八九六）春二月書写」

とあり、付言して、

「臨本ハ　東都幕士　鈴蘭翁《すずらんおう》　天保十年己亥《きがい》年、古稀《こき》ニ至リテ擱筆《かくひつ》ス、ト有リ」

と記されていた。

天保十年（一八三九）といえば、百七十三年も昔のことになるが、古稀（七十歳）になったのを機に、鈴蘭翁を名乗る東都（江戸）の幕士（町方同心か？）が、自分の回想記の筆を擱《お》き、それを五十七年後の明治二十九年になって、何者かが書き写した書写本であろう、と思われた。

内容としては、いささか不審の点もあり、あるいは偽書ではないか、とは、その『地蔵橋留書』の解読を進めている研究員の感想であるが、友人でもある一研究員から伝わる内容に時代考証をほどこし、これを物語にしつらえようというのが本作の顚《てん》末《まつ》である。

帆柱の喜平《きへい》

1

暦では梅雨の時期だが、この年、天明《てんめい》三年（一七八三）の天水の恵みは、指折るほどに少なかった。

暦のうえでは入梅をして、すでに十二日目、きょうの二十七日は五月の中気《ちゅうき》、二十四節気の夏至にあたる。

だのに、もう五日間も一滴のお湿りもない。

空っ梅雨であろうか。

（この分じゃあ……）

横山町《よこやまちょう》一丁目裏通《うらつう》の隠居所の二階窓から喜平は、しばし薄雲が貼りついている空を眺めた。

（おまけに、くそ暑いときやがら……）

陽ざしは、ぎらぎらと天空に満ちている。

こいつは、こいつで――。

ろくなことにはなりそうもないぜ、と喜平は眉をひそめた。

いつもなら鬱陶しいばかりのはずの、町々が鼠色に煙る梅雨が恋しい。

昨年の夏のことを、喜平は思い起こしている。

その夏は、霖雨の多い冷夏であった。

安永《あんえい》から天明に改元されたころから毎年のように、各地に大風雨や津波や地震が続いて凶作となり、米不足から米価は高騰し、疫病が蔓延《まんえん》したりした。

またも、農作物に被害が出るのではなかろうか。

夏というのに、単衣《ひとえ》では肌寒いその夏の異常気象に、人々はいいようのない不安を覚えたものだ。

その不安を裏打ちするように、昨冬には疱瘡《ほうそう》が流行し、この春には、昨年に引き続いて米価高騰のため粥食《かゆしょく》が奨励されている。

だが一方では、老中、田沼意次《たぬまおきつぐ》の革新的な経済改革によって、江戸の商人の懐は潤《うるお》い、町人文化は爛熟《らんじゅく》の一途をたどっていた。

生活が苦しいのは、その日暮らしの庶民たちで、その不均衡さに、いきおい治安は悪化した。

江戸の町々には押し込みが増え、辻強盗も頻発している。

それで北町同心の鈴鹿彦馬《すずかひこま》から手札《てふだ》をもらっている喜平など、大忙しの日々を送ったものだった。

(ふうむ)

思わず、大きな溜息が出た。

今度は日照りのせいで、またも凶作となって、さらに米の値が上がるのではないか。

そして、またぞろ——。

そんなことを、喜平は思っている。

(しかし、まあ、もうこれっきりよ)

五十歳になったのを機に、家業を総領息子に渡して喜平は、つい先日にこの隠居所に引っ越してきたばかりだ。

ついでのことに——。

手札も返上して、岡っ引き稼業からも足を洗おうか。

そんなことを、漠然と喜平は考えている。

ほかでもない。喜平は鈴鹿の旦那と衝突をした。

二ヶ月前のことだ。

「そんなに気にくわなけりゃ、いつでもやめちまえ！」

くどくどと文句をつける喜平に業《ごう》を煮やしたか、浮世小路《うきよこうじ》の［百川楼《ももかわろう》］の一室で、鈴鹿彦馬は伝法にいい放ってそっぽを向いた。

だが、すぐそのあとに、

「ま、いろいろとあるんだ。おめえも、少しゃあ、口を慎みな」

とつけ加えたところを見ると、喜平のつけた文句が、よほどに鈴鹿の旦那の痛いところをついたにちがいない。

思えば、両国広小路に小屋掛けの出店《でだな》（支店）を出していた喜平を見込んで、声をかけてきた鈴鹿の旦那とは、もう二十年にもなる。

年は喜平が二歳上で、共に苦労を重ね合った仲だから、八丁堀《はっちょうぼり》の旦那と岡っ引きという枠を越えて、本気の口喧嘩も再々であったたし、では、これにてさようなら、とは、喜平もおいそれとは口に出せない。

ふいに、視線の先を黒いものがよぎった。

「つ、ば、く、ろか……」

喜平は小さく、つぶやいた。

あちこちの軒先で、ピーピー大口を開けて親の帰りを待っていた燕《つばめ》の一番子《いちばんこ》も、そろそろ巣立ちを迎えるころであった。

そのとき、風向きでも変わったか、焦げ臭い匂いが喜平の鼻をついた。

（けっ！）

思わずゆるみかけた喜平の表情は、またもや苦虫を嚙んだように変わった。

「……ったく、肝《きも》を冷やしたぜ」

声に出していった。

喜平が、この横山町一丁目裏通《うらつう》に適当なしもた屋を買い取り、そこを隠居所にするべく引っ越してきたのが三日前、五月二十四日のことだった。

その次の夜、まだ引っ越し荷物の整理さえすまないうちに、近所から火が出た。

横山町一丁目表通りの庖丁鍛冶屋が火元で、町内火の見櫓《やぐら》の半鐘は、いきなりの擂半《すりばん》だった。

さすがに泡を食った喜平は、取るものもとりあえず、手近の鍋釜などを大風呂敷に包み込み、女房のおてると共に風上の南へと逃げた。

「こりゃあ、とんだ災難だぜ……」

細い月夜の、すぐ間近に赤々と揺らぐ紅蓮《ぐれん》の炎を背にして、喜平は類焼を覚悟した。

「たったの一晩を過ごしただけで、なにもかも灰になっちまうのかねえ。不運すぎるよ、あんた……」

ぐすん、と早くも涙声になるおてるに、

「なあに、幸いといっちゃなんだが、俺っ家《ち》は風上だ。大丈夫かもしれねえよ」

口では、そう女房を慰めながら、

（九分がとこは、だめだろうな……）

正直、喜平はそう思っていた。

このころの消火法は、火災周辺の住宅を壊して延焼を防ぐ破壊消防であった。たとえ燃えないにしても、せっかく手に入れた隠居所は、町鳶《まちとび》の手で跡形もなくつぶされるにちがいない。

それほどに、火元は近かったのである。

火災は、近隣の町々が騒然とするなか、およそ四刻（八時間）ばかりも続いて、夜明け前になってようやく鎮火した。

浜町堀に架かる栄橋《さかえばし》袂《たもと》あたりで、まんじりともせず夜を明かした喜平夫婦は、おそるおそる隠居所をたしかめに戻って、目を瞠《みは》った。

それは、奇跡としかいいようがなかった。

横山町一丁目裏通《うらつう》の、本通り側に建つ建物は半分がとこ壊されていたが、その向かい側にあたる隠居所のほうの家並みは、きれいに残されていたのである、橘町《たちばなちょう》寄りであったのが幸いしたようだ。

火は横山町一丁目から亀井町《かめいちょう》方面へ、すなわち西北に幅一町半（約一五〇メートル）、三町余り延焼して食い止められていた。

その帯の中に建つ家々は、ことごとく焼失して、ぽつぽつと商家の漆喰《しっくい》蔵が残るのみであった。

隠居所の無事な姿を見たときには、思わず神仏に感謝して、同時に安堵から全身の力が抜け落ちたような気分の喜平だったが、次には、知り合い寄方《よるべ》たちが入れ替わり立ち替わり、早朝から火事見舞いにやってくる。

落ち着く暇もなく、見舞客の応対を重ねているうちに喜平は……。

（えい、これじゃあ埒《らっち》があかねえ）

それはそれで、荷物も気持ちも一向に片づかないものだから、とうとう癇癪《かんしゃく》玉を破裂させた。

「おい、おてる。こりゃ、どうにもうるさくて仕方がねえ。こいつを表に貼って、それでもやってくるやつには、少し落ち着いたら、こっちから連絡をいたしやすから、と適当に追っ払っちまえ」

と、一枚の張り紙を女房に手渡した。

半紙に墨書された内容はというと——。

就当方多忙大童
見舞謝絶仍如件

漢字ばかり十四文字が二行に分かれ、千社札《せんじゃふだ》に使われるような寄席《よせ》文字で、麗々しく書かれている。

おてるは首をひねって、

「なんだい、これ。まじないか、なんかかい」

「ま、そんなものよ。おめえも、そのくれえの漢字なら読めるだろうよ」

「そうはいうけど、こう、漢字ばっかで真っ黒けだと、頭が痛くなっちまいそうだよ」

「学のねえやつぁ、こいだから困る。いいか、こう書いてあるんだ」

当方は多忙で大童《おおわらわ》につき、見舞いは謝絶す。仍《よっ》て件《くだん》の如《ごと》し……と、喜平が読み下《くだ》してやると、

「なんだか、証文みたいな文言《もんごん》だね。というより、こんな……。木で鼻をくったみたく張り紙、とってもじゃないけど、貼れないよ」

「いいから、貼っときな」

「でも、読めない人だっているよ」

なおも気乗りしなさそうなおてるに、

「だから、それでもやってくるやつは、適当に追っ払っちまえ、といってるじゃねえか。やってきたって、俺ぁ、もう金輪際《こんりんざい》相手はしねえからな。取り次ぐんじゃねえぞ」

隠居所といったって、元は裏通りに面する八百屋だったせいで、一階には、通りに面する小広い土間の奥に、へっついや水瓶《みずがめ》や流しが並ぶ台所と同居するような、六畳ほどの板間があるきりだ。

そこで喜平は、畳敷きの二階部屋にすっこんだきり、厠《かわや》のほかは階下に降りようとはしない。

そして、そのうち、だんだんに――。

（畜生、驚かしやがって……）

次にはなんだか、自分でもわけが分からないが、猛烈に腹が立ってきて、火事から二日目になっても、不機嫌はおさまらないまま、いつしか空を見上げて天候の心配などはじめていたのである。

火災の後片づけは今も続いていて、近辺には火事場跡特有の匂いが立ちこめているが、鼻が馴れたか、それとも無風のせいか、ふと火災のことも忘れて、天下のことに思いを寄せていた喜平だが――。

今再び、火事場の匂いに現実に引き戻されて表情を苦く変えたその耳に、

「あら、スズランの坊ちゃま」

階下から、おてるの声が聞こえてきて、

「お……！」

喜平は、窓辺から立ち上がった。

2

天明というこの時代の世相を、少しばかり説明しておくのがよいかと思う。

時の権力者は、田沼意次という老中首座で、悪化する幕府の財政赤字を食い止めるべく重商主義を推し進めてきた、有能な経済官僚であった。

だが、時代を先取りしすぎた感のある田沼の資本主義は、徳川御三家《ごさんけ》や御三卿《ごさんきょう》をはじめとする大名、あるいは旗本たちの門閥《もんばつ》にこだわる保守派からは大いに憎まれた。

すでに時代は大きく変わっているのに、彼ら保守派たちは相変わらず、米穀を重んじ、金を汚いものとする〈貴穀賤金《きこくせんきん》〉の思想から逃れられぬのであった。

ひとつには、やっかみもある。

元々が田沼の父というのは、徳川本家の血筋が絶えて、紀州の徳川吉宗《とくがわよしむね》が第八代の将軍となったとき、国元から連れてきた足軽の身分でしかなかった。

そんな軽輩の子が、九代将軍となる家重《いえしげ》の西丸小姓となったのを足がかりに、破竹の出世を遂げていき、なんと大名にまでのし上がった。

さらには十代将軍の家治《いえはる》の信任も厚く、ついには六百石の小旗本から、相良《さがら》藩五万七千石の城持ち大名にまで上りつめたのである。

しかも老中首座となって、権力を一手に握っている。

田沼の取る重商主義は商人たちを潤《うるお》し、町人は武士に代わって学問や芸術の部門にも進出し、豊かな町人文化を華開かせはじめた。

だが、そんな折、国には天変地異が続いて米価が高騰した。

そのとき、江戸の市民たちの恨みつらみは田沼一人に向けられていった。

おそらくは、田沼の政敵である吉宗の孫、御三卿田安家《たやすけ》から養子に出されて白河藩《しらかわ》主となった、松平定信《まつだいらさだのぶ》が流し続けた誹謗中傷の情報操作によるところが大きい。

重商政策をとる田沼の元には、商人たちが日参して賄《まいない》を贈るし、猟官活動を権力者にたのむ大名や小普請《こぶしん》組旗本は、付け届けを欠かさない。

それはそれで事実であった。

政敵である松平定信自身、さかんに田沼に賄を出している。

だが、田沼だけが特別な存在であったわけではない。

権益を得るために、権力者に賄賂《わいろ》を贈る、受け取る。それはいつの時代の常でもあったし、特に江戸時代においてはそれが常識で、それをもって罪に問われるという時代ではなかったのである。

むしろ田沼は有能な官吏を多く、門閥を越えて抜擢《ばってき》した。

その一方で、傾いていく幕府財政を支えるためにも、大名家や旗本家に留保されている財産を、売官というかたちで積極的に吐き出させ、幕府の金蔵へ戻す、といった政策をとっていたふうがある。

そのことで、田沼は余計に保守勢力に憎まれた。

結果として、田沼の賄賂政治ばかりが喧伝《けんでん》されて、江戸市民の間では、今や田沼の評判は、すこぶる悪い。

この時期、相次いだ天変地異は田沼のせいではなかったし、困窮疲弊した農民たちが田畑を放棄して都市部への流入が止まらなかったのも、田沼一人に失政の責をかぶせるには理屈が合わない。

むしろ米価が高騰した尻馬に乗って、財政難に陥っていた諸藩が、これを借金返しの好機と捉《とら》え、逆に年貢の取り立てを厳しくしたことで、一揆や争乱が多発している。

そんな農村の危急にくらべ、むしろ都市部では町人文化が爛熟していった。

ともあれ米価の高騰は、江戸の大部分を占める下級層には大打撃で、鬱憤の矛先はすべてが田沼へと向かっている。

いま少し、世界に目を向けてみよう。

このころ、イギリスでは産業革命が起こり、フランスとの七年戦争に勝利して、インドの支配権を確立した。

そのイギリスから、アメリカは独立を勝ち取り、ロシアは悲願の南下を図り、虎視眈々と日本を視野に入れていた。

話を本筋に戻そう。

喜平が二階から下りると、土間には、前髪立ちの少年が立っていた。

「おお、蘭三郎《らんざぶろう》さん……。しばらく会わねえうちに、また背が伸びたようですね」

「そうですか」

蘭三郎は、静かに微笑《ほほえ》んだ。

「それより、たいへんご無沙汰をいたしまして。でも、母からは、いつもご様子を伺っております」

「いやいや……。こちらこそ」

(そういや……、二ヶ月ぶりか)

喜平は、今年三月のことを思い起こし、少しばかりつらい気分になりそうになるのを振り払うように、

「やい、おてる。そんなところに立たせてねえで、早く上がってもらわねえか」

見舞客なんか追っ払っちまえ、といっていた喜平なのに、先ほどまでの不機嫌もどこへやら、相好《そうごう》を崩していった。

「わたしもそういったんですけどね。坊ちゃんは、これから柔術のお稽古だそうで。それより、あんた、ほら、けっこうなものをいただきましたよ」

板の間の、風呂敷包みに手をかけるおてるのあとを受けて、蘭三郎と呼ばれた少年が口を開いた。

「この度《たび》は、とんだ災難でございましたね。それでも不幸中の幸いで、こうしてご無事でなによりです」

「はい、はい。こりゃご丁寧に、ありがとうございやす。このとおりにぴんぴんしておりやすんで、どうかご心配なく」

「これは、変わりばえもしない母の店のを詰め込んだお重《じゅう》で、火事騒ぎのあとだと、とにかく台所仕事がご不自由でしょう、と母が申しまして、ほんとうはきのうのうちにもお持ちできればよかったんですが、あいにくきのう、わたしは芝のほうで稽古がありまして、それできょうになってしまいました。そんなわけで、お見舞いが遅くなって、申し訳ございません」

「いやあ、こりゃあ、わざわざすまねえこって……。そうですかい。きのうは、こっちのほうの……」

ここで喜平は、両拳を縦に重ねて竹刀《しない》を握るしぐさを見せながら、

「いやあ、そいつぁ感心だ。どうです。ずいぶんと腕を上げなさったでしょうね」

「さて、どうだか……」

蘭三郎は、はにかんだように笑った。

その笑顔が、実に可愛く、しかも爽やかだ。

立てば芍薬《しやくやく》、座れば牡丹《ぼたん》、歩く姿は百合《ゆり》の花、とは美人を表わす表現だが、江戸の女たちは蘭三郎のことを、その名にちなんで――。

　立てば芍薬
　座れば牡丹
　歩く姿は蘭の花

などと唱えて、ぼうっと見とれる。

その蘭三郎、年はまだ十四歳と少年の面影を残すが、背姿もすらりとして凛々《りり》しくもある。

これは昨年の新年のことだが、本材木町《ほんざいもくちょう》一丁目にある［白子屋《しらこや》］から、浮世絵師鳥居清長《とりいきよなが》が描く短冊の組物〈江戸当世若衆競《くらべ》〉というのが出て評判となった。

なかでも〈霊岸島《れいがんじま》一ノ橋の残照〉と題された短冊は、遠く夕日に色づいた富士を背景に、新川に浮かぶ小舟のあしらいもよく、橋に佇む少年を描いたもので、特によく売れた。

時代は〈若衆好み〉といって、振袖を着た前髪の美少年を、素人娘も人妻までも、性の対象としてさかんに色をしかけるのが大流行《おおはやり》している。

元より若衆とくれば、男色好みの男どもも虎視眈々と狙っていた。

そんな風潮を戯作者《げさくしゃ》は黄表紙に、浮世絵師は、わじるし・艶本にさかんに描く。鳥居清長もまた、多くの若衆ものを描いている。

だが、〈霊岸島一ノ橋の残照〉に描かれた若衆だけは、大いに趣《おもむき》を異にしていた。同じ組物に描かれた他の若衆たちが、いかにも華やいだ絵柄の振袖姿なのに対し、濃紺と白のさっぱりした両滝縞の筒袖で、腰に脇差し一本を落とし差し、これがかえって新鮮で評判を呼んだものらしい。

次には、これはどこの誰だろう。

人々の興味は、そこに移り、やがて一ノ橋から近い、霊岸島・長崎町二丁目に住む蘭三郎がそうではないか、と囁《ささや》かれはじめるようになった。

3

あれが、災いしたのかもしれねえな――。

蘭三郎が帰っていったあと、そんなことをぼんやり考えている喜平の耳に、おてるの声が届いてきた。

「ん……。なんかいったか」

「いえ、どうやらスズランの坊ちゃんも落ち着かれたようだねって……」

「うん。そのようだな……」

「あんなことがあったんで、あたしゃ、坊ちゃんが、グレでもしないかって、実は陰ながら心配してたんだよ」

「うん……」

喜平は低い声で、相槌《あいづち》を打った。

蘭三郎は、北町定廻《じょうまわ》り同心である、鈴鹿の旦那の三男であった。

旦那――鈴鹿彦馬には昔から、肥後椿を愛《め》でるという年寄り臭い道楽があって、そのせいか、最初に生まれた娘に、つばきと名づけた。

そののち、三人生まれた男児にも、花の名を与えている。

長男が菊太郎《きくたろう》、次男が梅次郎《うめじろう》で、三男が蘭三郎といった具合だ。

おてるが蘭三郎のことを、スズランの坊ちゃん、と呼ぶのは鈴鹿蘭三郎を縮めてのことだが、実は、この蘭三郎だけは母親がちがう。

彦馬のご新造《しん》は鶴恵《つるえ》といって、北町与力の娘だったせいか、どこか権柄《けんぺい》ずくなところがあって、喜平はあまり好かない。

蘭三郎の母は、元は中洲新地にある高級料亭の［四季庵］で仲居をしていた女であった。名をおりょうという。

はかなげな美貌が評判で、いい寄る裕福な商人も数知れず、それを町方同心にすぎない鈴鹿彦馬がかっさらって妾に囲ったから、周囲はあっといった。

そうして、できた子が蘭三郎である。

おりょうには江戸に身寄りがなかったから、蘭三郎が生まれるとき、喜平夫婦が前後の世話をした。

前年に初孫の男児を、風邪が元で亡くしていた喜平夫婦には、元気な産声《うぶごえ》を上げて生まれてきた蘭三郎に、まるで自分たちの孫の生まれ変わりのような思い入れが生じた。

ちょうど、昨年の今ごろである。

蘭三郎の次兄にあたる梅次郎が、南町同心の家の養子に決まった。

それを機に、霊岸島・長崎町で母のおりょうと暮らしていた蘭三郎坊ちゃんは、八丁堀の鈴鹿彦馬の同心組屋敷に引き取られることになった。

「できれば、もっと早くに引き取りたかったのだがな。女子と小人《しょうじん》とは養いがたし、とは真《まこと》のことだ。今度ばかりは大汗をかいたよ」

そのとき、鈴鹿の旦那は苦笑いしながらも、いかにも満足げだった。

「そりゃあ、ようござんしたね」

喜平も口を合わせたが、どこか内心では、

（あったりまえでぇ）

と思っていた。

外に作らせた子を家に入れるといわれて、にこにこする女房がいるとも思えぬし、身を分けた子を取り上げられる母が、それを喜ぶとも思えぬのが、喜平たちの世界では常識であったからだ。

だが鈴鹿の旦那が蘭三郎坊ちゃんを、本気で屋敷に引き取るつもりだ、ということは、かなり早くから気づいていた。

それは蘭三郎が生まれてすぐに、鈴鹿の旦那は役所に三男として届けていたことからも、そうと知れる。

詳しい事情までは知らないけれど、おりょうは武家の出であるらしく、教養も深いようだった。

そのせいか、坊ちゃんが七歳で八丁堀・薬師《やくし》新道《じんみち》の手習い所に入ったとき、すでにあらかたの文字の読み書きができて、神童と呼ばれていると人づてに聞いて、喜平は驚くと同時に、自分のことのように誇らしくも感じている。

旦那も、坊ちゃんの教育については、おりょうにまかせきりだったが、四年前のこと、坊ちゃんが「士学館《しがくかん》」という剣術道場に通い出した、と耳にしたときだけは——。

「それは、いかん」

目の色を変えたものだ。

そして続けた。

「とにかくだ。どうせ習うのならば、直心影流《じきしんかげ》の長沼《ながぬま》道場がよい。俺もそこで修行したんだ。よし、俺は今から長沼道場に入門の許可を取ってくる。おまえは、ひとっ走り長崎町まで、そのことを伝えてきてくれぬか」

「いやですよ、旦那。自分でいうほうが早いじゃないですか。今も十日に一度は通ってらっしゃる、と聞いてますよ」

「さあ、そこだ。あれでな、おりょうは変に頑固なところがあるんだ。こういうことは、俺が直接にいうより、父っつあんが話してくれたほうが角《かど》が立たずにすむ。よしなに頼む」

自分とあまり年がちがわないくせに、こんなときだけ旦那は、喜平のことを〈父っつあん〉と呼ぶ。

外では颯爽と、肩で風切る鈴鹿の旦那だが、屋敷じゃご新造の鶴恵に頭が上がらぬ、という噂は聞いていたけれど、どうやら、おりょうさまにも弱いらしい、と喜平は思った。

「そうはいっても、どういやあ、いいんです。長沼道場といえば、芝の浜松町でござんしょう。長崎町からなら、一里近くもありやすよ。それに比べりゃ、士学館のほうが……、ほんの近間じゃ、ござんせんか」

蘭三郎母子が住む長崎町から、一ノ橋を渡り、霊岸島橋を渡れば、もう茅場町《かやばちょう》、[士学館]は、その茅場町の長屋にある。

それに——。

鏡新明智流《きようしんめいち》を名乗る、その道場ができて四年ほどたっていたが、今では門人があふれるほど評判で、新たに南八丁堀の蜊河岸《あさりがし》あたりに新道場を普請中だそうだ。

「おまけに、たいそう、繁盛の道場のようですがね……」

「ばかなことを申すな。あんな得体の知れねえ浪人者が道場主の所に通ったところで、屁の突っ張りにもなるわけがない」

「得体が知れねえってことはないでしょう。道場主は桃井八郎左衛門《ももいはちろうざえもん》といって、元は大和郡山藩《やまとこおりやま》の御家中と聞きましたよ」

剣で名をあげるべく桃井は、柳沢《やなぎさわ》家を致仕《ちし》したあと諸国武者修行をして、一刀流、柳生流、堀内流、富田流などを学んで、すべての流儀の奥秘《おうひ》を極めたといわれている。

「で、鏡新明智流ってのは、富田流抜刀術に鏡心とかいう型があって、そこから名づけられたそうですよ」

「おい、帆柱の。えらくくわしいじゃねえか。おめえ、まさか……」

帆柱の喜平と通り名されている喜平に、鈴鹿の旦那はたちまち伝法《でんぽう》な口調に変わって、目を剝いた。

「へい。お察しのとおり、おりょうさまに、坊ちゃまを士学館に入れようと思うけれど、どのような道場なのか調べてもらえないかと頼まれやして、ちいっとばかり

「……」

「けっ、余計なことをしてくれるじゃねえか。なんで、ひと言、俺の耳に入れねえ」

「へえ、そりゃ、すみませんでした。でも、いってえ、士学館の、どこが気にくわねえんで」

「なにもかもだ。おめえ、あそこが道場開きするにあたって、芝の神明社《しんめいしゃ》に奉納額を掲げた話は聞かなかったのかい」

「いえ、そりゃ聞いてます。その額を見て、どんどん入門者が増えたんだとも」

「肝心なのは、その額の内容だ。自分は多年の修行の結果、未だ人に勝つことは知らないけれど、負けないことを悟った、などは、人を食ったたいいぐさだと思わねえか」

「そりゃ、そうですが……」

「第一、その奉納額で、桃井の野郎は、大束七流《おおつかしちりゅう》軒伴山《けんばんざん》などと、たいそうな名を使って、豪傑ぶっている。だから、得体が知れないというんだよ」

さらにその奉納額には、貧しくて修行ができなかった者、不器用で他道場に入門できなかった者も教え導く、と書かれていて、門戸《もんこ》を広く開いて束脩《そくしゅう》も月謝も、すこぶる安い。

「そこんところが、いちばんの問題《もんでえ》だ。だから士学館の門弟は、ほとんどが町人や、やくざばかりだろうが」

「そういわれりゃ、そのとおりですがね。いえ、そのことは、ちゃんとお伝えしたんですが、おりょうさまは、それでもよいとおっしゃいましたもんで……」

「おりょうがよくても、俺がよくない。かかりは、ぜんぶ俺が持つし、長沼道場へも、俺が蘭三郎を連れていくからって、話をつけてくれ」

「へい、そういうことでしたら……」

こうして蘭三郎坊ちゃんは、［士学館］から［長沼道場］へ鞍替えすることになった。

蛇足《だそく》ながら、この［士学館］、ずっとのちの幕末のころには、江戸三大道場のひとつに数えられ、土佐藩士の武市半平太《たけちはんぺいた》や佐倉藩士の逸見宗助《へんみそうすけ》なども剣を学んでいる。

4

さて、そんなことがあって二年ののち——。

蘭三郎の次兄の梅次郎が、鈴鹿の旦那と同僚の北町同心の家に養子に入ったのと入れ替わりのように、蘭三郎坊ちゃんは鈴鹿家に入った。

昨年の七月のことである。

腹違いの姉であるつばきは、すでに嫁いでいたから、坊ちゃんの新しい生活は、鈴鹿の旦那と、ご新造の鶴恵と、すでに北町の見習同心となっている長兄の菊太郎と起居を共にすることからはじまった。

一方で――。

坊ちゃんの実母であるおりょうは、古巣である中洲新地に「卯《う》の花《はな》」という、小ぶりな小料理屋を開いている。

もちろん金を出したのは鈴鹿の旦那で、蘭三郎坊ちゃんを取り上げる見返り条件として、それで話がついたのであろう。

(それにしても、よく金がまわるもんだぜ……)

いずれ、裏がありそうなことは、長い岡っ引きの経験上、喜平だって承知している。

町奉行所の職掌は、江戸府内の武家と寺社とを除いた、市民の行政と司法と警察の事務を執り行なうことにある。

現代でいうなら、東京都庁と裁判所と警視庁を併せたような組織が町奉行所なのだが、それを南北両町奉行所を合わせても、たったの四十六人の与力と、二百四十人の同心とでこなしている。

しかもその俸給はというと、個々につく役料は別として与力は均《な》らして二百俵取り、同心は三十俵二人扶持、これを米一石を一両と換算するならば、だいたいがとこ与力で年収七十両、同心だとおよそ十二両ということになる。

このころ、江戸の裏店《うらだな》に住む親子三人の生活費はというと、おおよそ月に一両二分だから、同心など、まさに薄給というほかはない。

しかし彼らには、さまざまな方面からの付け届けや贈答品といった、いわゆる役得というものがあった。

これが、馬鹿にならない。

奉行所への付け届けは、筆頭与力が保管しておいて、折々に分配したが、これが年間に与力一人あたりなら、一千両にもなるのである。

さらには年番方《ねんばんかた》、吟味方《ぎんみかた》、市中取締諸色調掛《しちゆうとりしまりしよしきしらべかか》りの与力は特に役得の多い役で、それぞれの屋敷のほうにも付け届けがある。

たとえば大名家において、地方から出てきた家臣が、慣れない江戸で騒ぎを起こしたときなどには、大ごとになる前に揉み消してもらわねばならない。

そんなふうに、いろいろ便宜をはかってもらうために、大名家からは蔭扶持《かげふち》が出るから、遣《や》り手の与力のうちには、年に三千両からの副収入があるのもいるほどだ。

まあ、早い話、副収入のほうで豊かに暮らしている、というのが実体であった。

これは、与力だけのことではない。同心だって、そういった付け届けのおこぼれにあずかっているし、特に警察業務をこなす定町廻りや臨時廻りの同心には役得が多い。

江戸の犯罪で、もっとも多いのは窃盗であるが、仮に町内でわずかな盗みがあったとしよう。

すると盗まれた家では、その保証人として町役人《ちょうやくにん》である家主《いえぬし》五人組に同道してもらって、町奉行所に出頭しなければならない。

こうなると被害者は、仕事もできずに一日を無駄にしたうえに、付き添いの五人の家主に日当を払うのがしきたりであった。

出頭は一度きりではない。証人調べのときと、判決時の二度である。

すると盗まれたものより、はるかに費用がかかることがあり、これでは踏んだり蹴ったりだ、と思うのが人情で、いつしか抜け道の制度ができあがっている。

いざというときには、盗難に遭った事実を調書から抜いてもらう。

これを〈抜け〉という。

このため町では、普段から掛りの同心に付け届けを怠らない。いざというときのための、保険のようなものだ。

一町の付け届けの額は僅かでも、江戸府内には一七〇〇町に近い数の町があるから、総額にすれば馬鹿にならない金額になった。

同心に使われる岡っ引きとて同じこと、上から下まで、袖の下や付け届けで暮らしを立てているのが実情であった。

喜平自身は家業があったので、それほど阿漕《あこぎ》なことはしないが、ほとんど無給に近い岡っ引きは、自分の生活を立てるほかにも、手下の下っ引きたちを食わせてやらねばならぬから、さまざまな手口で金を稼ぐ必要がある。

その手口については、やはり代表的なものが〈抜け〉である。

多忙な同心が、いちいち事案を突き合わせて調書を抜く、なんてことはあり得ない。実際に抜くのは岡っ引きたちで、ここにこそ、かれらの大きな収入源があった。

まず盗人を捕らえると、大番屋なり調べ番所に留め置いて、いつ、どこでなにを盗んだか、さらには、その盗みの日には、どこそこに立ち寄ったかなどを、それこそ微に入り細にわたって徹底的に、かつ積極的に調べ上げる。

さて、そうなると、盗人の口から出た被害者は元より、たとえば盗人が立ち寄った蕎麦屋なんかまでが、証人として町奉行所に出頭しなければならない。

そこで岡っ引きに、幾ばくかの金を出して、これを抜いてもらおうとする。

そんな岡っ引きたちが、寄り集まって談合をおこなう溜まり場や茶屋が、八丁堀界隈にはいくつもあった。

こうして金が分配されながら〈抜け〉が進行していくのであるが、その一部は、なんと盗人の懐にも入る。

伝馬町の牢に入るまで、盗人の身柄は大番屋や調べ番所で拘束されているが、いざ本牢に入るときには、〈ツル〉と呼ばれる支度金を持っていくのがしきたりであった。〈ツル〉がなければ、手ひどい仕打ちを受ける。

地獄の沙汰も金次第、というわけで、牢名主以下、その金で牢屋同心やら牢番に賂《まいない》を出して、酒や食い物の出前に目こぼししてもらうのが、唯一の楽しみなのだ。新入りが〈ツル〉も持たずに牢入りしたとなれば、しきたりを破ったとして命すら危ない。

要は、抜けば抜くほど岡っ引きの懐は潤い、盗人の〈ツル〉が増えるのだから、岡っ引きと盗人は、ここでは同じ穴の狢《むじな》のようなものだ。

それはそれとして、鈴鹿の旦那の金まわりの良さだ。

単に妾に囲ったり、小料理屋を持たせたり、という以外にも、鈴鹿彦馬は目を剝くような買い物をする。

趣味の肥後椿だが、べらぼうにも一鉢で五十両を下らないような変わり椿を、ぽんと求めることだって、ときどきはある。

どこかに、からくりがありそうだ。

もっとも、喜平には、なんとなく見当がついていた。

米であろう……と思っている。

町奉行所の組織というのは、一筋縄ではいかない。

まず南町も北町も、与力・同心はそれぞれ一番組から五番組に分けられているが、これはあくまで戦時編制の名残《なごり》であって、その役職と分課となると、非常に複雑多岐にわたる。

なにしろ、都庁と裁判所と警視庁を、もっといえば、消防庁をも併せたような組織だから、やらねばならぬことは腐るほどにあって、かぎられた人数でこれらをこなすとなると、与力にせよ同心にせよ、少なくとも二つ、多くは四つくらいの分課を掛け持ちすることになる。

鈴鹿の旦那の場合だと、定町廻りのほかに、市中取締諸色調掛りの役についている。

この役は、定町廻りに劣らないほど役得の多い役といわれているが、それを合わせたとしても、鈴鹿の旦那の金の使いっぷりには追っつかないだろうと、喜平は皮算用をする。

大きな金蔓をつかんでいるらしい。

たしかな証拠があるわけではないが、それを喜平の鼻は、米だと嗅ぎ分けている。

定町廻り、臨時廻り、隠密廻りは三廻りと呼ばれて、上司に与力をいただくことなく、同心だけで組織する役職であるが、市中取締諸色調掛りというのは、人員に増減はあるが、南北それぞれ与力八人に、下役の同心は十五、六人といった機関で成り立っている。

具体的にどういうことをするかというと、町中の物価の調査と不当な値上がりの抑制である。

江戸を二十一組に分けて、それぞれの名主に物価の調査を命じ、その監督をおこなうとともに、諸問屋ほか商業筋全体の事務も執り行なう。

南北の町奉行所によって、その支配は分けられ、南町では、御府内の魚、青物問屋に木綿問屋、薬種問屋などを扱い、北町では酒問屋、書籍問屋、畳表問屋、廻船問屋、材木問屋、米問屋などを支配する。

つまり米は、北町奉行所の管轄であった。

定町廻りの同心は、江戸をだいたい四筋に分けて、南北の両町奉行所より小者を連れて決まった道順をたどって巡回する。

それで重複しないように、あらかじめ受け持ち区域というのが決められている。

鈴鹿の旦那の受け持ちは、日本橋南、日本橋北、内神田の一帯で、米問屋や米の仲買商、小売り屋の多いところだ。

特に日本橋北の伊勢町河岸《いせちょうがし》通りあたりは、西堀留川《ほりとめがわ》の両岸に、切妻《きりづま》屋根に白壁土蔵の米倉が隙間なく建ち並ぶ、米問屋が多くて米河岸とも呼ばれるところだし、内神田の鎌倉町あたりも米屋の多いところであった。

そのいずれをも、鈴鹿の旦那は定町廻りで受け持ち、しかも市中取締諸色調掛りも兼任している。

となれば、細工をしかけることなど簡単だ。

このところの米価の高騰で、昨年の七月と今年の二月には、幕府から粥食奨励の申し渡しが出たし、大坂から大量の米を買いつけて対応した。

買いつけた米の現物は、お救い売り渡し米として米屋に安く払い下げて米価を下げようと図っている。

となると、要は鈴鹿の旦那のさじ加減ひとつ、不正のネタは尽きないのであった。

事実、鈴鹿の旦那の懐は、どんどん潤っていくようである。

喜平の縄張り《シマ》は、両国西の広小路から浜町堀と東堀留川《ひがしほりとめがわ》の間。北は新乗物町、長谷川町、富川町から、南は甚左衛門町《じんざえもんちょう》、元大坂町、そして竈河岸《へっつい》あたりにかけての一画だ。

シマの外のことだから、直接に見聞きしたわけではないが、鈴鹿の旦那と、どこぞこの米問屋の主人が、浮世小路《うきよこうじ》の卓袱《しっぽく》料理屋［百川《ももかわ》］で密会していたなんぞの噂は、ときどき入ってきた。

そんなとき、喜平はなんとも複雑な気分に襲われる。

もっとも、鈴鹿の旦那の一存でできるような不正ではない。

もっと上のほうも関わっての、頭の黒い鼠の集団がいるのであろう。

浮世小路［百川楼］

1

鈴鹿蘭三郎が霊岸島の長崎町から、八丁堀・地蔵橋《じぞうばし》に近い、鈴鹿彦馬の同心組屋敷に移って、二ヶ月ばかりがたった晩秋のことである。

喜平はその日、そのころ根城にしていた両国西の広小路から近い、横山町三丁目の自身番で、やがては巡回してくるであろう、鈴鹿の旦那を待っていた。

同心の勤務は二勤一休だし、大番屋や調べ番所での取り調べもあるので、決まって毎日、自身番へ顔を出すわけではないが、その日は巡回日にあたっていた。

巡回の道筋は決まっているから、時刻もだいたい決まっている。横山町に顔を出すのは、八ツ（午後二時）ごろになる。

ちょうど時刻ごろ——。

「番《ばん》っ!」

自身番の外からの声が、喜平の耳に届いた。鈴鹿の旦那の声だ。

すかさず番人が、「ははあーっ」と答える。

「なにごともないか」

「へへーっ」

こんな内外のやりとりだけで、旦那は自身番には入らず、そのまま通り過ぎてしまうこともある。

それで喜平は、番人が受け答えしているうちに、素早く自身番の外に出た。

中間《ちゅうげん》一人に、小者《こもの》二人を従えた鈴鹿の旦那に、

「喜平か。いかがした」

「へい。ちょいと、きょうあたり、御屋敷のほうにでもお邪魔しようかと思っておりますが、よろしゅうございましょうか」

供の中間や小者に、小さく会釈をしながら喜平はいった。

供の中間は、町廻りに出る定廻りに奉行所のほうからつく。

小者はというと、半次郎《はんじろう》という名のほうは、以前に旦那の屋敷に住み込んでいたの

が年老いて、鎧《よろい》の渡しの渡し番に鞍替えしたあとに転がり込んできた、若い男であった。

もう一人のほうは、利助《りすけ》という名で喜平と同じ岡っ引きだが、この数年、まるで旦那の腰巾着のようにくっついている。

「おまえが屋敷へか。珍しいな」

といって鈴鹿の旦那が笑ったのは、普段、喜平がよほどのことでもないかぎり、屋敷へ顔を出さぬのを知っているからだ。

喜平は、旦那のご新造の鶴恵が苦手で、たいがいの用は、手下の使いですませてきた。

もっとも、喜平が鶴恵を苦手と思うより、鶴恵のほうが、喜平のことを嫌っている、ということもある。

口には出さないが、鶴恵は喜平の家業を卑しく汚れたものと感じているようで、いつも蔑《さげす》んだように喜平を見るのであった。

「そうさなあ……」

鈴鹿の旦那はしばらく考え、

「きょうは、いつもどおりに七ツ（午後四時）であがるから、そのあとなら、いつでもいいのだが、うん。やはり［卯の花］にしようか。そのほうが、おまえも気楽だろう」

「いやあ、こりゃ、どうも」

旦那が指定したのは、開店してまもない、蘭三郎坊ちゃんの実母が営む小料理屋だった。

「一風呂浴びてからにしたいから、暮れ六ツ（午後六時）くらいでどうだ」

「へい。お手数をおかけします」

2

で、その夕、喜平が［卯の花］に顔を出すと、女将《おかみ》になりたてのおりょうは、

「お待ちしておりましたよ。旦那さまも間もなくお見えでございましょう。二階に小座敷をご用意しておきましたので、すぐに案内させましょう」

と、にこやかにいうところをみると、小者の半次郎あたりが、前もって旦那の使いで知らせてきたのであろう。

まだ宵の口だというのに、一階の小上がり席や小座敷は、半分がところ埋まってい

るようであった。

「あ、いや、お世話にあいなりやす」

喜平が、つい、へどもどと、おりょうにろくな挨拶もできなかったのは、ほかでもない。苦手な屋敷に出向いてまで、鈴鹿の旦那に尋ねたかったことは、蘭三郎坊ちゃんに関わることであったからだ。

少し、気になる噂を聞いたのである。

できれば、おりょうの耳に入れたくはなかった。

待つほどのこともなく、鈴鹿の旦那が姿を見せて、ひととおりの酒肴の支度が調《ととの》うまで、喜平は身体を固くさせていた。

そんな様子を見つめ、旦那は小さく唇をゆがめたが、これといって口に出すこともなく、無言で一人酌のぐい飲みを、ゆっくり口に運んでいた。

この二十年近い年月で、旦那は喜平の気性を知り抜いている。

やがて小女《こおんな》が障子を閉《た》てて出ていったのを待っていたように、喜平はことばを押し出した。

「蘭三郎坊ちゃんは、元気にしてらっしゃいやすかね」

「うむ。まあな」

鈴鹿の旦那は、僅かながら眉を曇らせた。

だが、それも一瞬のことで、

「近ごろはの。長沼道場のほかにも、起倒流《きとう》にも通わせておる。なかなか筋がよいとのことだ」

「ははあ。起倒流というと、柔術でございますね」

「おう。よく知っておるな」

「そりゃあ、もう」

起倒流柔術には、十手《じって》、早縄《はやなわ》の術もあるから、永年、岡っ引きを務める喜平にも無縁のものではなかった。

第五世を継承する鈴木清兵衛《すずきせいべえ》の起倒流道場は、門弟三千人ともいわれる大道場として有名である。

門弟のうちには、先年に白河藩主となった松平定信もいて、三千人の門弟のうちでも三本の指に入るという。

だが、それが眉唾《まゆつば》だとは、たいがいの者が知っている。

「なに。蘭三郎を通わせはじめたのは、そちらではない。久松町《ひさまつちょう》のほうだ」

「ああ、竹中道場でございやすか」

同じ起倒流だが、鈴木清兵衛の弟弟子にあたる竹中鉄之助《たけなかてつのすけ》が開いた町道場は、誰にも門戸を開いていて、喜平も自分が使う下っ引きを、何人か入門させたことがあった。

なにより久松町は、喜平の縄張内《シマうち》でもある。

「そうですか。あそこで筋がいいと誉められたのなら、たいしたものです。先がお楽しみですね」

「おう」

さすがに鈴鹿の旦那は、嬉しそうな顔になった。

八丁堀町方与力や町方同心の子女の縁談というのは、たいがいが八丁堀内部での行き来が多い。

というのも、町方与力も町方同心も事実上は世襲だが、形式的には一代限りのお抱え席になっている。

そこで、仲間内にできるだけ親戚筋を多く作るほど、いざというときには安心、という心理が働くのであろう。

鈴鹿の旦那が蘭三郎坊ちゃんを、剣術にくわえて、柔術の道場にも通わせはじめたと聞いて喜平は、いずれはしかるべきところに養子に出すための準備だな、と感じた。

「ところで……」

少し迷ったあと、喜平は、つい先日に耳にした気になる噂のことを口にした。

「なんですか。近ごろ、純子《じゅんこ》稲荷《いなり》のあたりで、どこぞの町娘が川に落ちて死んだと聞きやしたが」

「おう、あれか」

とたんに鈴鹿の旦那は、渋い顔になった。

それを喜平は風の噂に聞いたのだが、そのとき尾鰭《おひれ》のようについていたのが、その娘の死に、蘭三郎坊ちゃんが関わっているというようなことだった。

喜平はそれを聞き、すぐにも岡っ引き仲間から詳しい話を聞こうか、とも思ったのだが――。

(いや、待て、待て)

情報を得るのはたやすいことだが、うっかりそれが元で、かえって噂に火をつけることになるかもしれない。

なにしろ火事と喧嘩は江戸の華、というくらい、日々の生活に退屈しきっている江戸市民のことだから、そんな噂話は、さらに尾鰭をつけながら、あっという間に広まるおそれがあった。

そんなふうに自制した喜平だが、やはり気になる。

それで、鈴鹿の旦那から直接に聞こうとしたのだ。

3

「で、どんなふうに聞いた」

逆に鈴鹿の旦那が、真剣な様子で尋ねてきた。

「どうって、ちらっと坊ちゃんの話がくっついてたもんですから」

「どんなふうに、くっついてたんだ」

「そいつが、さっぱり……。いえね、うちの嬶《かか》ァが買い物先で拾ってきた話なんですが、そいつが一向に要領を得ないもんで、あっしゃ、一人やきもき、心を痛めてたって具合で」

「すると、その噂が広まっている、ということではないんだな」

「へい。耳を広げておりやしたが、ほかからは聞きやせん」

「そうか」

旦那は安堵したような表情になり、ぐい飲みの残りを飲み干したあと、

「馬鹿な話さ……」

唇をゆがめた。

「おまえも知ってるとおり、亀島《かめしま》河岸のあたりは、がちゃがちゃ、舟で賑わうあたりで、荷車や荷揚げ人足たちも多い」

「へい」

八丁堀と霊岸島の間を流れる亀島川は、日本橋川から分かれて越前堀を通り、大川へ出る水路だから、荷足《にたり》だの伝馬《てんま》だの五大力《ごだいりき》だのの船が、次から次へと行き来する。

亀島河岸あたりは、町方与力知行地からの米穀のほかにも、さまざまな物資が荷揚げされる河岸で、川沿いに、ぎっしり舟が舫《もや》われて、岸には荷揚げの品が山と積まれ、ひっきりなしに人足や荷車が行き来する、騒然としたところだ。

「そんなところへ、どこから湧いたか、近ごろ、町娘たちが群がりはじめたというのだな」

「へ……」

(もしかして……)

奇妙な予感のようなものを感じた喜平に、旦那は眉をしかめ、酒をぐい飲みに移したあと、

「それも申し合わせたように、純子稲荷のあたりにたむろしているというのだ」

「それって、まさか、坊ちゃんを目当てに……」

「その、まさかだ」

（そういうことか……）

例の鳥居清長描く〈霊岸島一ノ橋の残照〉で評判になった若衆が、蘭三郎坊ちゃんではないか、と囁《ささや》かれはじめたことは聞いていた。

だが、霊岸島・長崎町に住んでいたはずの坊ちゃんの姿は、忽然と消えた。地蔵橋に近い旦那の組屋敷に移ったからだ。

（そうか。そいつを嗅ぎつけやがったか）

亀島河岸にある純子稲荷は、開運出世に商売繁盛に繋がるとして、稲荷のほかにも大黒《だいこく》、不動、荒神《こうじん》に大山講《おおやまこう》と、あれこれ寄せ集めの社《やしろ》であるが、問題は、鈴鹿の旦那の組屋敷が、その純子稲荷から西へまっすぐの道筋にある、ということだった。

一方、薬師新道にある手習い所では、もうこれ以上は教えることはない、ということで、蘭三郎坊ちゃんは十二歳の夏から亀島河岸東端にある儒者、河井東山《かわいとうざん》の元に学んでいた。

それで純子稲荷は、その通学路にあたったのだ。

蘭三郎坊ちゃんを一目見ようと集まってきた町娘たちは、稲荷の境内や付近に群れをなして、坊ちゃんが姿を現わすの待っていたらしい。

そして坊ちゃんの姿を見つけるなり、きゃあ、とか、なんとか黄色い声を張り上げて、一斉に駆け出したようだ。群集心理というようなものだろう。

折も折、一台の荷車が荷を満載し、亀島小橋に向かっていた。

そこへ、突然娘の集団が飛び出してきて横切り、交錯した。

こういうときの、はずみ、というのは思いもかけない結果を及ぼす。

荷車にはじき飛ばされた娘が一人、よろよろっとよろけて、川に落ちた。

いや、落ちたのは、石材を荷揚げ中のひらた舟で、娘は石材に頭を打ちつけたのち川に沈んだ。

ほとんど即死であったという。

(身から出た錆《さび》でぃ)

薄情なようだが喜平には、命を落としたという町娘に、一片の同情心も浮かばなかった。

(それよりも……)

そんな町娘のせいで、蘭三郎坊ちゃんに、おかしな噂が立ちはしないか。

そちらのほうが心配であった。

だが――。

幸いにして、噂が広まることもなく静かにその年は暮れていき、喜平は秘かに胸を撫で下ろしていた。

ところが――。

蘭三郎坊ちゃんの身には、思わぬ伏兵が立ちはだかっていたようだ。

今年の三月五日、江戸の桜はどこもかしこもが満開となって、花見酒で虎に変じた連中で、あちこち喧嘩騒ぎがあったそうだ。

そのころ喜平は伜の喜太郎《きたろう》に家督を譲り、適当な隠居所を探していて、まだ両国薬研堀《やげんぼり》に住んでいたが、幸いにしてシマ内に花見の名所はなかったから、のほほんとした春の一日を過ごしている。

ところが夜になり、ジャンと半鐘の音が届いてきた。

なにしろ江戸では、しょっちゅうに火事が起こるから、半鐘がジャンと鳴ったくらいで浮き足立っていては、身が保《も》たない。

この正月二十四日にも、新橋・滝山町《たきやまちよう》から火が出て、隣町の惣十郎町《そうじゆうろうちよう》まで三十五間（六四メートル）幅で五十間（九一メートル）ほどが燃えたが、

（なあに、対岸の火事よ）

とばかり、喜平は腰さえ浮かさなかった。

江戸に生まれ江戸に育って五十年、そこはそれ、年の功というより経験値で、自分の住まいまで累《るい》が及ぶかどうかは、部屋にいながらにして手に取るように分かる。

要は半鐘の打ち方で、火が近いか遠いかが分かるようになっている。

火が近ければ、ジャンジャンジャンジャンジャンと連打され、火元がご町内なら撞木《しゅもく》で半鐘の内側を掻きまわす。

これを摺り、といって、摺り半鐘を略して擂半《すりばん》、ジャジャジャジャジャジャと鳴ろうものなら、たちまち町内は混乱の巷《ちまた》と化すのであった。

ところが火事が遠い場合は、のんびりとしたもので、町内にある自身番の火の見は、ジャンと半鐘をひとつ叩き、

「遠い、遠いぃ！　南の方《かた》、十数町（一キロメートル）あまりぃ」

と、だいたいの火元を叫んだあと、次にはジャンジャンと半鐘を二つ叩き、

「ますます火見えるやぁ」

と叫んだあとは、ジャン、ジャン、ジャンとゆっくり半鐘を叩いて、これが土地の町火消が出動し終わるまで続く。

このころになると、どこの家でも表に出たり、あるいは二階の窓から外の様子を窺

って、火元が風上か風下かの判断ぐらいはつける。

喜平もそうした。

細い三日月の下で、町の周辺は、かなり騒々しいことになっている。

遠く、カッ、カッと蹄《ひづめ》の音が響くのは、火元見の馬の足音、定火消《じようびけし》の臥煙《がえん》たちが歓声を上げながら走り去る足音、イヤアイ、アアアイと聞こえてくるのは木遣《きや》りの声で、この付近を担当する一番組、に組の町火消も、いよいよ乗り込みの様子だ。

こうして、土地の町火消が出動したところで、自身番火の見の半鐘は、いったんやんで、あとは人馬の音ばかり。

だが、再び半鐘がジャンと鳴る。

これは続報だ。

ジャンと鳴ったあと、火の見が叫ぶ。

「遠い、遠いぃ！　霊岸島、川口町あたりぃ」

（なに……！）

二階の窓を閉め、再び座敷に座ろうとしていた喜平はその声を聞いて、思わず腰を浮かした。

4

それから半刻（一時間）もたたないうちに、喜平の姿は霊岸島にあった。

しっかり草鞋《わらじ》で足拵《あしごしら》えをして提灯《ちょうちん》を持ち、浜町堀を南下したあとは、行徳《ぎょうとく》河岸から崩橋《くずればし》を渡って霊岸島に渡り、霊岸島新堀を港橋《みなとばし》で渡った。

向かう前方で、夜空を焦がすように火の手が上がっている。

（ありゃ、川口町の材木置き場だな）

ここまできて、喜平にも、火元の見当がついた。

霊岸島の七不思議というのがあって、そのひとつに——。

花屋といっても材木屋

と、いうのがある。

霊岸島の川口町には、［花屋七郎右衛門《はなやしちろうえもん》］と［はなや三十郎《さんじゅうろう》］という二軒の材木屋が軒を並べているが、火元は、その材木置き場であるようだ。

火事場の炎で、もう提灯も必要がないので、畳んだ提灯を腰帯に差して、

「はい、ごめんよ、ごめんよ。御用の筋だ」

喜平は火事場見物の野次馬を、掻き分け掻き分け前に進んだ。

（それにしても……）

と、喜平は考えている。

材木置き場から火が出るというのは、付け火以外には、あまり考えられない。

それとも花見の酒で酔った野郎が、生酔いで煙草でも吸って、火の始末を怠ったのかもしれない。

なには、ともあれ、火元が霊岸島の川口町と聞いて、取るものもとりあえず喜平がここまで駆けつけたのはほかでもない。

火元の川口町の北の隣町が長崎町で、そこに蘭三郎坊ちゃんの生家があったからだ。

その蘭三郎坊ちゃんは、川口町から川向こうの八丁堀にいるし、母親のおりょうは、この時刻、まだ中洲新地の［卯の花］にいることは分かっている。

だが、長崎町二丁目の家には、おふでという十二歳になる住み込みの小女《こおんな》が残っているはずであった。

そのおふでは、おりょうが中洲新地で店を持つことになったとき、留守番とおりょ

うの世話を兼ねて、喜平自身が世話した少女であった。

家財を抱えて逃げるにしても、十二の少女だと、運び出せる家財も知れていよう。おふでの身の安全もさることながら、喜平はそんなことも考えて、夜道を駆けてやってきたのであった。

幸い風上に当たっていて、長崎町界隈に類焼はないようだ。

だが、いつ風向きが変わらないともかぎらない。

人群れを掻き分け、ようやく新川のほとりに出たが、一ノ橋は六尺棒を手にした小役人が立ち入りを禁止していた。

消火活動の妨げになるからだろう。

「北町の、鈴鹿彦馬さま小者で、帆柱の喜平というもんだ。長崎町に用がある。通らせてもらうぜ」

いうと、六尺棒が立てられた。

この長崎町というのは、一丁目、二丁目ともに唐物《とうぶつ》問屋が多い。

異国より舶載されて長崎に着いた品々が、この霊岸島まで運ばれて唐物問屋に入る。

それで長崎町と呼ばれている。

「おっ」

長崎町二丁目裏通《うらつう》の角を曲がったところで、喜平は小さく声を上げた。

おりょうの家の前に、人影が見えた。

男が二人、家財道具を積載した大八車に寄りかかるようにして、一人は煙管《きせる》を使っている。

蛍のように、赤い火が点滅していた。

赤々と天に火を噴く火事場を背景にしているせいで、影絵のようで顔は見えない。

（なにものだ……）

訝《いぶか》りながら喜平が進んでいくと、

「よぉ。帆柱の父っつあん」

煙草をくゆらせていたのが立ち上がり、ぽんと火種を落として、地面に落ちた火を踏みつけて始末をした。

利助だった。

このところ、いつも鈴鹿の旦那に、腰巾着のように付き従っている岡っ引きだ。

（すると、もう一人は利助の子分の平次郎《へいじろう》か）

喜平からは、まだ影絵のように顔の造りさえ見えないが、向こうからは火事場の照り返しで喜平の顔が見えるようだ。

ようやく二人の顔が判別できるところまで近づいたとき、

「心配《しんぺえ》して、きてくれたんだなあ」

と利助がいう。

「ああ、そっちは」

「定火消《じょうびけし》の太鼓がドンと鳴ったとき、まぁだ旦那の屋敷にいたのよ。そいで駆けつけてきた」

「なるほど。ところで、おふではどうしたい」

「心配はいらねぇ。半次郎をつけて、とっくに卯の花のほうに送らせておいた」

半次郎は、鈴鹿の旦那のところに住み込みの小者である。

「そうかい。それじゃあ、俺の出る幕もなかったな。家財道具も、あらかた積み終わったみてぇだし」

すでに大八車には、箪笥《たんす》だの長持だのが積み込まれ、縄まで掛けられて、いつでも避難できるようになっている。

「うん。まだ、こまごましたものは残っているが、せっかくだから大風呂敷にでも包むかい」

「そうさせてもらおうか。ところで、いやにのんびりしているようだが……」

大八車に積んだのなら、さっさと運び出せばよさそうなものだ、と喜平は思っている。

「なあに……」

利助は、のんびりした声を出し、後方を振り返ってからいった。

「俺の見たところ、もう、ここらまで飛び火してくる心配はねえ。あと半刻もしないうちに鎮《しず》まるだろうよ」

利助には、臥煙《がえん》の利助という二つ名があった。

元は定火消に所属する、臥煙と呼ばれる火消人足であったからだ。

夏でも冬でも法被《はっぴ》一枚きりで、いつもまっさらな白足袋を履いて、いざ火事となると向こう鉢巻に両肌《もろはだ》脱いだ法被を腰に巻き、全身刺青《いれずみ》の素っ裸で火の中に飛び込んでいく。

そんな元臥煙がいうのだから、なるほど類焼の心配はないのかもしれない。

だいたいに臥煙になるのは、御家人や貧乏旗本の次男坊、三男坊といった冷や飯食いで、だが侍であることにちがいはない。

度胸と男伊達を競って、町娘には人気があるが、商人たちには顰蹙《ひんしゅく》を買うことが多い。

押し売り同然に銭緡《ぜにさし》などを売りつけて、ユスリたかりを平気でする。

利助もまた、そんな一人であったのだが、小網町にある［とんがり］という名の船宿の一人娘であるおせいというのを、こまして転がし孕《はら》ませた挙げ句、ちゃっかり婿におさまった。

それが三年前、どういう手蔓でか鈴鹿彦馬の手札をもらって、堀江町、小舟町《こぶなちよう》、小網町を縄張りとする若手の親分におさまっている。

臥煙の利助がいったように、材木置き場の火事は半刻もたたぬうちに収まった。

諸方から集まっていた火消衆たちが引き上げていき、町々の火の見半鐘がジャン、ジャンと、あちらこちらから響き渡る。

この二点鐘は、消半鐘《けしはんしよう》と呼ばれる鎮火の合図であった。

「さて、荷物を元に戻そうかの」

臥煙の利助がいい、

「俺も手伝おう」

喜平がいうと、

「そいつぁありがてえが、帆柱の父っつあん、まあ無理はしないこった。あした腰が立たなくなっても知らねえぜ」

利助が苦み走った顔を笑わせた。

「おきゃあがれ。年寄り扱いするんじゃねえや」

とはいったものの、利助は喜平の総領息子と同じ年の二十八歳、まさに親子ほども歳が違うのだ。

それでというわけではないが、大きな荷物は臥煙の利助と平次郎の二人にまかせて、喜平は主に小物類をおりょうの家に運び込んだ。

そんな片づけがすまないうちに、おりょうとおふでが、鈴鹿の旦那と半次郎に送られて戻ってきた。

(もう、そんな時刻か……)

四ツ(午後十時)を過ぎると町木戸が閉じられるので、おりょうは[卯の花]を住み込みの板前夫婦に預けて、五ツ半(午後九時)ごろには店を出る。

用心のため、おりょうを長崎町の家まで送るのは半次郎の毎夜の役だが、そこに鈴鹿の旦那までがくっついているところを見ると、今夜の火事騒ぎで、旦那も[卯の花]へ顔を出したものと思われる。

「よう、喜平もきてくれていたのか。すまねえな」

懐手《ふところで》の巻き羽織から手を出して、鈴鹿の旦那がいった。

「ほんとうに、お世話をかけてすみませんでしたねえ」

おりょうも深く腰を折ってくるのに、

「いえいえ、たいしたことなくって、なによりでござんした」

挨拶をしている喜平の袖を、旦那が引いた。

「なんです？」

「いや、ちょいとな……」

いいながら、どんどん袖を引いていく。

「なんですか。旦那」

「いや、ちょうどよかった。二、三日うちにも、おめえに連絡をとろうと思っていたところだったんだ。ところで、おめえ、あしたは身体が空いてるかい」

「へい。今んところは」

「そうかい。じゃあ、すまねえが、明日の六ツ半（午後七時）くれえに、浮世小路の百川で会おうか」

「へ……」

こいつぁ、おそれいったね、と喜平は思った。

旦那は、いつになく下手《したて》に出てくるし……。

呼び出す先も、高級料理屋の［百川］ときた。

それも、なんだか、腰巾着の利助や、おりょうの耳にも入れたくなさそうな素振りだ。

（ろくな話じゃ、なさそうだぞ）

喜平は、そう思った。

5

喜平の予想は当たった。

「実はな……」

卓袱台《ちゃぶだい》にあらかたの料理が並べられたところで、ようやく鈴鹿彦馬が口を開いた。

「蘭三郎のことだが、やはり、おりょうの元へ戻そうと思うんだ」

「そりゃ、いってぇ、どういうことですかい」

思わず切り口上になった喜平に、鈴鹿の旦那はぎろりと目を剝いたあと、

「まあ、食いな」

卓袱台に大皿で盛られた料理の上に、握った引き裂き箸で大きく円を描かせたあと、

自分の小皿にさまざまな料理を乱暴に取り分けていった。

怒ったような顔つきになったのは、どこか忸怩《じくじ》たるところがあるからだろう。と、永年のつきあいから喜平は悟り、波立つ胸をなだめながら、黙々と料理を小皿に取った。

卓袱《しっぽく》料理は、長崎に伝わった中国料理が京、大坂や江戸にも店ができ、ひとつの器から各自が取り分けて食するやり方が珍しがられたが、料理自体は日本人の舌にあわせられている。

再び、鈴鹿の旦那が口を開いた。

「別に、どうこうってぇことじゃねえ。やはり実の母親の元で暮らすのが、蘭三郎のためだと思っただけのことだ」

「ふうん」

喜平は、鼻先で笑った。

「そういうことなら、それでいいんじゃあねえですかい。なにも俺に相談をかけるまでもねえ」

「さあ、そこんところだ」

旦那は、膝を乗り出した。

「蘭三郎をおりょうに戻すについちゃあ、俺に含むところはねえ。だが、出戻り娘ってえわけではねえが、屋敷に引き取った蘭三郎を元に戻すとなりゃあ、おりょうが、あれこれ気を病《や》みはすまいか、と思ってなあ」

「坊ちゃんをお引き取りになって、まぁだ、一年とたちませんからねえ」

せいぜい皮肉っぽく、いってやった。

蘭三郎坊ちゃんが、旦那の屋敷に引き取られたのは昨年の七月、まだ八ヶ月しかたたない。

「ふむ。まあ、そういうわけだ」

「なんの。その心配ならいらねえ、と思いますよ。おりょうさまは、かえって喜びましょう」

「お、そうか」

「そりゃ、そうに決まっておりましょう。で、いったい俺にどうしろとおっしゃるんで」

「ふむ。だからよ。まあ、父っつあんは、おりょうにとっちゃあ、親代わりみてえな存在だから、そこいらのところを、うまく話して聞かせてやってもらえねえか」

「するってえと、坊ちゃんを元に戻すって話は、おりょうさまには話してねえんですかい」

「ま、そういうことだ。それで、おりょうが納得すれば、蘭三郎には俺から話すつもりだ」

「冗談じゃねえや」

思わず、怒りが爆発した。

「そりゃあ、おりょうさんは坊ちゃんが戻ってきて喜びなさろうが、肝心の蘭三郎坊ちゃんのお気持ちは、どうなりますんで？　まるで旦那から捨てられたような気分になられるんじゃござんせんか」

「いや、そこんところは、勘違いをせぬよう、十分に説明をするつもりだ」

「そんなきれいごとで、ごまかせるもんじゃござんせんよ。早い話が、ご新造の鶴恵さまと坊ちゃんの折り合いが悪い、ということじゃあねえんですかい」

「…………」

旦那は、苦い顔になって酒を呷《あお》った。図星、であるらしい。

喜平は、なおもいった。

「それも、蘭三郎坊ちゃんが、鶴恵さまにどうこうというのではねえ。おそらく、昨年九月の、坊ちゃんにのぼせて勝手におっ死《ち》んだ町娘のせいでしょう。そのことをネ夕に鶴恵さまは、坊ちゃんを追い出したくてたまらねえ。ね、そうはっきりおっしゃってくだせえましよ」

喜平が歯に衣着せず絵解きをすると、

「そこまで分かっているんなら、口に出していうまでもなかろう。無粋なやつだ」

「へん。無粋で悪うござんしたね。そういう旦那はどうだい。女房にも、おりょうさまにも尻に敷かれた唐変木《とうへんぼく》じゃねえか」

「なに、聞き捨てならんぞ」

こうして大喧嘩になった。

ついでのことに喜平は、ついつい旦那の金まわりの良さに触れ、米価が上がって苦しんでいる庶民をよそに、役得で懐を潤しているのではないか、というようなことを、あれこれいいつのりはじめた。

そして、とうとう……。

「そんなに気にくわなけりゃ、俺の手先など、いつでもやめちまえ！」

旦那は、伝法にいい放ってそっぽを向いた。

「…………」

大人げなくも、ちょいといいすぎたか、と喜平も反省をしだしたころ——。

「ま、いろいろとあるんだ。おめえも、少しゃあ、口を慎みな」

旦那がいう。

「へい。ちょいといいすぎやした」

喜平も素直に頭を下げて、その場は、なんとなく収まった。

さて喜平は、さっそくにおりょうに会って、正直に蘭三郎坊ちゃんの置かれた立場を説明した。

蘭三郎坊ちゃんが原因で、町娘が一人死んだことには、おりょうも心を痛めていた、といい、

「再びそのような不祥事が起これば、と心配をなさる鶴恵さまのお気持ちもよく分かります。なによりそのことで、蘭三郎が屋敷でつらい立場にいるようならば、こちらからお願いをしてでも蘭三郎を返していただきとうございます」

と、母親の心情を吐露した。

それで、話はトントンと進み、三月も終わりごろになって、喜平は屋敷を出る蘭三郎坊ちゃんを、八丁堀地蔵橋まで出迎えに行った。

こうして再び、蘭三郎坊ちゃんは、長崎町二丁目の古巣へ戻ってきた。

それから二ヶ月近く——。

喜平は女房のおてるともども、もしや蘭三郎坊ちゃんが心に傷でも負って、グレでもしないか、などと陰ながら心配をしていた。

だが、相変わらず爽やかで元気な蘭三郎坊ちゃんが、きょう火事見舞いに顔を見せてくれた。

「よかったなあ」

これから柔術の稽古だといって去った蘭三郎坊ちゃんを見送ったあと、喜平はおてると顔を見合わせて、晴れ晴れとした気分になっていた。

煙と消えた犯人

1

空っ梅雨のまま、五月雨《さみだれ》の季節は終わったが、六月に入って、その穴埋めのような大雨がきた。

六月十七日は夜明け前から、天水桶《てんすいおけ》をひっくり返したような土砂《どしゃ》降りで、それが十九日まで三日間も続いた。

それで、たちまちのうちに江戸川や隅田川が増水した。

ついには川が溢れ、千住《せんじゅ》、浅草、小石川あたりに出水している。

川という川が、ごうごうと真っ茶色な濁流となって押し寄せ、上流で流された家が橋桁や橋脚にぶつかり、神田川最下流の柳橋は大きく破損して傾いたし、吾妻橋《あづまばし》もまた破損した。

蘭三郎の母の店がある中洲新地は、元は隅田川の三ッ俣と呼ばれた中洲一帯を埋め立てて地続きとし、十年ばかり前にできあがった歓楽街である。下手《へた》をすれば、店ごと流されてしまう危険性もあったので、三日間とも休業として、住み込みの雇員は避難をさせた。

幸いに、たいした被害もなく、中洲新地も［卯の花］も無事であった。

と、思ったら、それから半月ほどがたった七月六日、浅間山《あさまやま》が大噴火した。

のちに〈浅間焼け〉と呼ばれるこの噴火は、四月ごろから火山活動を開始して、中規模の噴火をはじめていたのだが、とうとう本格的に天上高くに火を噴いて、それが三日間続いた。

噴石が四方八方に飛ぶ、火砕流が逃げる間もなく人を村々を焼き尽くす。空を覆った火山灰で、江戸では昼間でも提灯なしには歩けない。

（こりゃあ、難儀なことだ……）

七月十八日、蘭三郎は竹中道場に向かう浜町堀に沿った道を、火山灰を吸わぬよう、口と鼻を手拭いで覆って後ろで結び、まるで夕暮れのような薄暗さのなかを歩んでいた。

なにしろ喉がいがらっぽいし、雨が降ったら降ったで、黒い雨となって衣服を汚す。

伝え聞くところでは、浅間山から流れ出した溶岩流が、利根川の支流である吾妻川を堰き止めた挙げ句に決壊して、利根川筋に洪水をもたらした、という二次災害もあったそうだ。

それで利根川筋には、人や家畜の死骸が累々と流れているというが、幸いに隅田川では、そんな酸鼻《さんび》な光景は見かけない。

それにしても、安永から天明と年号が変わったのちも、全国各地で天変地異が続く。

昨年の今ごろも江戸では大きな地震があって、建物が倒壊したり、死人怪我人が出たが、今年の二月にもまた地震があった。

三月には、伊豆の青ヶ島で噴火があり、六月には八丈島で噴火が起こっている。

世間では、もっと大きな災害が起こるのではないか、大飢饉がくるのではないか、さらには米の値段がもっと上がるのではないか、そんな不安が囁かれている。

だが、まだ十四歳の蘭三郎には、そのような世間の不安や心配事も、どこか他人ごとのようにしか思えない。

久松町の竹中道場に入ると、そこに稽古着姿の山崎弥太郎《やまざきやたろう》が立っていた。手には、籐《とう》の布団叩きを持っている。

「道場に入る前に、衣服についた灰を落とすようにといわれた」

ちょいと吊り目の目が笑っている。

「ははあ……」

「とりあえず、前からいこう。万歳をしろ」

「こうか」

蘭三郎が両手を挙げると、

「よし」

蘭三郎と同じ若衆髷《わかしゅわげ》の弥太郎が、胸から腹へ、さらには袴へと、ぱんぱんぱんと布団叩きで叩く。

「おい、ちょいと強すぎはしないか」

蘭三郎は文句をつけた。

「文句をいうな。俺も好きでやっているわけではない。ほれ、次は後ろだ」

蘭三郎が柔術の竹中道場に入門して、もう間もなく一年になろうとしているが、弥太郎が入門してきたのは、今年に入ってからである。

それで蘭三郎のほうが兄弟子にあたるが、年齢は弥太郎が十五歳で、ひとつ年上であった。

蘭三郎の背を布団叩きで打ちながら、

「どうせなら、もう少し早くこい。おかげで、こんな役目を押しつけられたではないか」

背のほうで、弥太郎が愚痴った。

この弥太郎、蘭三郎より背は低いが頑丈そうな身体《からだ》つきをしていて、なかなかの面《つら》構えであった。

おまけに、ちょいと拗《す》ね者で、口が悪い。

最初に会ったとき、

「なんだ、おまえ、女のような顔をしておるな。葭町《よしちょう》あたりからきておるのか」

いきなり憎まれ口を叩いたので、蘭三郎は黙って弥太郎の右手を取り、〈鴨首固《かもくびがた》め〉という関節技をかけてやった。

葭町の陰間《かげま》扱いされたので、文字どおりに手痛いお返しで報いたのだ。

「いてててて……。いや、すまぬ、すまぬ。口の悪さは我が陋質《そうしつ》（欠点）にて、つい口のほうが勝手に動くのだ。勘弁しろ」

たしかに、弥太郎の口は悪かった。

それから三ヶ月ばかりのちには、誰から聞いたものやら、また、こんなことをいった。

「おい鈴鹿、聞いたところによると、おまえ、妾《めかけ》の子だそうだな」

蘭三郎が思わず手を伸ばすと、弥太郎は二間ばかりも後ろにすっ飛び、

「いや、怒るな。俺のいいようが悪かった。かくいう俺も妾の子でな。それで、つい、嬉しくなって、またも口が勝手に動いたのだ。すまぬ。勘弁しろ」

「ものはいいようだ。おまえは、その口をなんとかせんと、いつか手ひどい目にあうぞ」

たしなめながらも蘭三郎は、自らも妾の子だと打ち明けた弥太郎に、なにやら親しさを覚えはじめた。

「よし、これくらいでいいだろう」

衣服の火山灰落としが終わったようなので、蘭三郎が鼻と口を覆っていた手拭いを解くと、弥太郎は小声になっていった。

「実は、昨夕に面妖なことが起こった」

「ほほう、面妖なとは、どういうことだ」

「それがだな……。いやいや、それを話せば長くなる。ま、道場帰りに話してやろう。それより、つい先ほどに、青島《あおしま》先生がこられたぞ」

「お、ほんとうか」

蘭三郎の胸は躍った。

青島俊蔵《しゅんぞう》というのは、御勘定所普請役を務める御家人ながら、この竹中道場にあっては四天王の一人として、後進の指導に当たっている。

その指導ぶりは懇切丁寧で、若い門人たちには絶大な人気があった。

さらには青島の投げ技は、胸のすくような切れがあり、特に水車《みずぐるま》や腰車《こしぐるま》は、敵がくるりと宙を舞う。

まだ蘭三郎も弥太郎も、受け身と関節技の修練中で投げ技にまではいたらないが、青島は二人の憧憬の対象でもあった。

ただ、御役が忙しいのか、青島が道場に顔を出すことは少ない。

蘭三郎は、いそいそした足どりで式台を上がり、着替えの部屋に向かった。

2

稽古で汗を流したのち、蘭三郎と弥太郎は肩を並べて道場を出た。

風の加減か、降灰はよほどにおさまったようで、きたときより視界は良好だった。

それで蘭三郎は、手拭いでの覆面はやめた。

「で、面妖なこととはなんだ」

さっそく蘭三郎が尋ねると、

「さあ、そのことだ。立ち話もなんだし、小腹も減ったことだし、ちょいとそこらの蕎麦屋にでも寄らぬか」

弥太郎が誘ってきたが、

「いや。それは困る」

「ふふん。元服までは、店食い、買い食いは控えよ、との母ぎみの教えなのだろう。そりゃもう、聞き飽きたぞ。今どき、そのような教えをする母ぎみも母ぎみなら、それを遵奉《じゅんぽう》するおまえもおまえだ。堅物を通り越して、そういうのを朴念仁《ぼくねんじん》というのだ」

弥太郎は相変わらずいいたい放題だが、もう馴れた。

さらにいう。

「按ずるに、おまえには友人の一人もできぬのではないか」

当たっている。

「まあ、いいさ。蕎麦屋につきあわぬというのなら、それもまた良し。人間一人が、煙のように消えたという話だが、またの機会にしよう」

「なに、人間が一人、消えただと……」

「それゆえ、面妖な話だというただろう。どうだ、蕎麦くらいは奢ってやるから、今度くらいはつきあえ」

「ううむ……」

なるほど蘭三郎はこれまで、薬師新道の手習い所でも、河井東山の儒学所でも、また剣術の長沼道場においても、同年代の学友や同門の友がいるにはいたが、親しい友人というのは、一人もいなかった。

あるいはそれは、自らが殻に閉じこもっているせいではないのか。

近ごろは、ふと、そんなことも思っていたのである。

それで——。

「よし、つきあおう」

思いきっていった。

「そうこなくては。富沢町《とみざわちょう》に、なかなかにいける蕎麦屋がある。こっちだ」

栄橋で浜町堀を渡れば、もう古着屋が多い富沢町であった。

「ここだ、ここだ」

一軒の蕎麦屋に案内された。

「なんにする」

「まかせるよ」

「そうか。では、天麩羅《てんぷら》蕎麦にしよう」

天麩羅蕎麦二丁、と弥太郎が声を張り上げるのを聞きながら、蘭三郎はなんだか落ち着かなかった。

なにしろ、蕎麦屋に入るのが初めてだった。

「おい、まさか、蕎麦を食ったことがないのではなかろうな」

蘭三郎の様子を見て、弥太郎がいう。

「いや、そんなことはない。ときおり、出前ものを食う」

「おう。出前でなあ。鰻屋なんかはどうだ」

「それなら、母上に連れていってもらったことがある。あと、浅草茅町《かやちよう》の喜八団子《きはちだんご》にも入ったことがある」

「おう、あそこのしるこ餅は、俺も好物だ。それも母ぎみに連れていってもらったのか」

「そうだ」

「ふうむ……」

弥三郎が眉を寄せ、腕組みをしたのを見て蘭三郎は、また悪口《あっこう》が出そうなのを感じ、

「それより、ひと一人が消えたという話を聞かせろ」

機先を制した。

「待て、待て。とりあえずは天麩羅蕎麦を食ってからだ」

やがて、天麩羅蕎麦がやってきた。

「ふむ。うまい」

思わずいうと、

「そうだろう。だいたいに蕎麦などは、出前で食うものではない。出前の間に汁は冷めるは、蕎麦は伸びるはで、うまかろうはずがない。特に天麩羅蕎麦ときた日にゃ、衣がふにゃけてしまって、締まりがなくなる」

なるほど、そんなものか、と蘭三郎は弥太郎の饒舌に感心もし、これまで、少しばかり損をしたかな、という気もしはじめていた。

で、いよいよ、弥太郎が昨夕に起こったという面妖なできごとを話しはじめた。

「俺の家のすぐ近くに、河内屋《かわちや》という小間物問屋があるのだが……」

「ふむ。おまえの家というと……、どのあたりだ」

これまで蘭三郎は、学塾といい、道場といい、終われば寄り道などはせず、まっすぐに家に戻るという習慣ができあがっていた。

だから竹中道場で弥太郎と顔を合わせ、たまさか帰りが一緒になることがあっても、栄橋のところで、さっさと弥太郎と別れて浜町河岸を南に下るのが常であった。

だから余分の話をすることもなく、弥太郎がどこに住んでいるのか、などということを尋ねたことはない。

また、自分がどこに住み、親が誰か、などという話もしたことはない。

ただ弥太郎が、蘭三郎と同じく袴をつけて、脇差一本を差していることから、武家の子弟だということだけは知っている、といった程度だ。

「俺の家は、新和泉町《しんいずみちょう》の橘《たちばな》稲荷の横だ」

「すると、その河内屋とかいう小間物問屋も新和泉町か」

「そういうことだ」

「ふうん。あれ、ここから近いんじゃないのか」

栄橋から一本下《しも》に架かるのが高砂橋で、その西に高砂町、続くのが新和泉町、ずうっと昔には吉原遊郭があったところで、一帯には鼈甲《べっこう》の櫛、笄《こうがい》などを作る作業所や、小間物屋が多いところだ。

「すぐ近間だ」

弥太郎がうなずき、ことばを添えた。

「この蕎麦屋から、二筋南になる」

「なんだ、山崎は、そんなに近くから竹中道場に通っていたのか」

(はて……)

とも思っている。

新和泉町というと町地で、武家の住居などはない。

(そうか)

弥太郎もまた、自分と同じような境涯なのだな、と蘭三郎は改めて思った。

「そんなことより、河内屋の話だ」

「あ、ああ、そうだった」

3

昨日のことである。

「こんなに高くなったんじゃあ、うっかり大根《でえこ》も買えやしない」

いつもやってくる棒手振《ぼてふり》の八百屋から、今夕の菜を求めて台所に戻ってきたトヨが愚痴った。

トヨは五十二歳、新和泉町の［河内屋］弥兵衛店《やへえだな》に二十七のときから小女として住み込み奉公に入り、もう二十六年も勤める古株だ。

浅間焼けの影響であろう、おおかたの庶民の心配どおり、七月も半ばには米相場も上がり、野菜も三割ばかり高値になった。

「おまけに、昼だか夜だか分からないほど暗い。せめて灯りを入れたいのに、旦那さまが吝《しわ》いから、うっかりしたら指を切りそうだ」

ぶつぶついいながら、俎《まないた》の上で、今朝の残り物の葱《ねぎ》を刻みはじめた。

「でも、まあ、一昨日《おととい》よりもきのう、きのうよりきょうと、だんだんに明るくなってきているようじゃないの」

そういったのは、やはり小女のすずで、すずは十六歳、同じく住み込み奉公で入って二年目だった。

「そりゃ、まあ、そのようだけどねえ」

「七夕《たなばた》の日なんかは、びっくりしたわ。朝のはずなのに真っ暗で、一日じゅう夜みたいだったし、雪みたいにずんずん灰が降ってくるんだもの。あのときにくらべりゃあ、ずいぶんとましよ。代わりといっちゃあなんだけど、暑さはずいぶんと紛《まぎ》れるじゃないの」

大鍋を乗せた竈《かまど》の火口を、火吹き竹で吹きながらすずがいう。

「まあ、相変わらず、おすずちゃんは、物事をいいように、いいようにと考えるんだね。まあ、そこがあんたのいいとこだけどね」

二人して、夕食の準備をしながら、そんなことを話している。

そうこうするうちに、次には米を研ぎはじめたトヨが、

「水瓶《みずがめ》が残り少なくなってきた。おすずちゃん、手が空いたら水を汲んできておくれな」

「はい。わかりました」

さっそくすずは、刷毛箒《はけぼうき》と手桶を提げて台所を出た。

[河内屋]の上水井戸は、台所を出てすぐのところに設けられている。

このあたりは、井の頭池の湧き水を引いた神田上水で、地中に通された水道の樋《とい》から、呼び樋《ひ》で井戸に上水を引き込まれる仕組みになっている。

その井戸というのは、底部に板を打ちつけた、底なしの樽を逆さに積み重ねたものが地中に埋まり、地上には樽の半分ばかりが顔を出していた。

水を汲むには、竿の先の釣瓶《つるべ》を用いるのだが、このところ火山灰が降るものだから、井戸口いっぱいを大きな綿布でくるんで縄をかけている。

それを外したり、またくるみ直したりするほうが面倒であった。

まず綿布に積もった火山灰を、刷毛箒で払いながらすずは思う。

（それはそうと、井戸浚《さら》えは、いつやるんだろう）

江戸では、毎年七月七日に井戸浚えをやることになっているが、今年は浅間焼けの影響で、それが延び延びになっている。

すずが生まれ育った裏長屋でも、毎年七月七日に井戸浚えがあった。

その日は、裏長屋の住人が総出で、まるで祭のような賑わいであったのだが……。

そんなことを思いながら、すずが綿布の縄を解いていると、

「ぎゃっ！」

なんだか、踏みつぶされた蛙《かえる》みたいな悲鳴が聞こえてきて、すずは思わずきょろきょろした。

（なんだろう）

続いて、がしゃんと大きな音も届いた。

すずは、台所の角を曲がって、音のした方向に向かった。

木塀に設けられた勝手口のところまで行って、耳を澄ます。
争うような人の声が聞こえた。
木塀の向こうか、とも思ったのだが、木塀続きの土蔵の方向のようである。
すずは勝手と蔵地を隔てる潜り戸を開け、土蔵に近づいた。
「あっ！」
声を上げたつもりだが、緊張のあまり、声にはならなかった。
分厚い観音開きの漆喰扉が、片方開いている。
思わず、ぎゅっと胸元を握りしめ、すずはおそるおそる中を覗き込んだ。
真っ暗で、なにも見えない。
だが、罵《ののし》り合うような男の声が上のほうから届いてきた。
すずは、上を見た。
土蔵の白壁の高いところに窓があるが、そこは閉じられたままだ。
「誰か……」
今度は声が出た。
「誰か、いるんですかあ」
すずは大声で、蔵の中に呼びかけた。

しばらくして、どたどたどたと階段を駆け下りてくる音がして、すずは思わず腰が引けた。

「くるな。近寄るんじゃないぞ」

そんな声がして、男が戸前《とさき》に姿を現わした。

「あ、旦那さま」

よろよろと出てきたのは、左の目尻に泣きぼくろがある、この店の主の弥兵衛だった。

左手で腹を押さえている。

薄暗くてはっきりはせぬが、前身頃《まえみごろ》が黒ぐろと汚れている。

(血ではないか)

すずは目を瞠《みは》った。

「ば、番頭さんを呼んできます」

すずは叫ぶなり、見世へと続く横入口に駆けた。

「逃げろ。逃げるんだ、早く。あとのことはわしにまかせろ」

すずを気遣うような弥兵衛の叫び声を背に聞きながら、すずは母屋に飛び込んだ。

急を知らせたすずに、番頭の友七《ともしち》、手代の佐吉《さきち》に、若衆の文吉《ぶんきち》、二人の小僧といった五人の奉公人が蔵へと駆けつけた。

その後ろから、すずもこわごわ様子を窺った。

「ど、どういたしましたか、旦那さま」

番頭の友七がいうのに、弥兵衛は肩で息をつきながら、気息奄々《きそくえんえん》に答えた。

「おう、番頭さん。雲をつくような大男だ。まだ、中にいる。早く、とっつかまえておくれ」

ふらつく足どりで戸前から出てきたのを番頭が支え、

「おい、佐吉、それに文吉」

番頭がうながしたが、手代の佐吉も若衆の文吉も、恐れをなして蔵の中には入れない。

誰がどう見ても、蔵破りの盗人が主人に見つかり、刃物三昧《ざんまい》に及んだ居直り強盗としか思えない。

すると番頭に支えられた弥兵衛が、

「とっつかまえられないのなら、せめて、蔵に閉じこめておしまい。ほれ、魚鑰《ぎょやく》なら用心土《ようじんつち》の中にある」

と、血だらけの手で用心土の入った木箱を指しながらいった。

魚鑰とは、また古い呼び方だが、要は蔵の鍵である海老錠《えびじょう》のことだ。

「よし、文吉、おまえはとりあえず内側の引き戸を閉めるんだ」

いいながら、用心土の上にある海老錠を手にした。

用心土というのは、木箱にどっさり入れた土で、いざ火事というときには、その箱に水を注ぎ入れて掻きまわし、蔵の扉や窓の隙間に目張りをするものだ。

そうすることで、蔵に火が入らぬようにとの用心のためである。

若衆の文吉が、おっかなびっくりという腰つきで、格子戸に金網を張り巡らせた内側の引き戸を閉めた。

その引き戸に、手代の佐吉が海老錠を夢中でかける。

そこに小僧が二人がかりで、漆喰で塗りかためた分厚く重い外扉を押して、ぴったりと戸前が閉じられた。

「よし。これでひとまずは安心だ。昌吉《しょうきち》、おまえはこのことを鳶頭《かしら》に知らせて、清助《せいすけ》、おまえは医者を呼んできな。本道では駄目だ。外科医をな。四枚肩《しまいがた》を使ってもいいからと、とにかく急がせるんだぞ」

と、二人の小僧を走らせて、

「佐吉は、念のため、ここを見張るんだ。おすず、おまえは旦那さまの座敷に布団をのべろ。おい、文吉、旦那さまを座敷に運ぶから手を貸すんだ」

番頭の友七が、てきぱきと指示を出すころになって、お勝手のほうからトヨが顔を覗かせると、

「どうしたい。なんの騒ぎだよう」

ひどくのんびりした声を上げた。

4

やがて、町内の鳶頭《とびがしら》の甚五郎《じんごろう》が、若い衆を二人連れてやってきて、

「とりあえず、帆柱の喜平親分を呼びにやった。到着まで、しばらく待とう」

頭に鉢巻、手に長鳶口《ながとびくち》を握りしめ、血気に逸《はや》っている若い衆を抑えた。

甚五郎は還暦に近いが、まだ矍鑠《かくしゃく》としている。

番頭が小僧の清助にいった四枚肩というのは、四人で担ぐ駕籠《かご》、あるいは交替の担ぎ手が二人ついた町駕籠のことだが、清助が飛び込んだ先は、新大坂町の山崎道祐《やまざきどうゆう》という南蛮医のところで、なんと自前の駕籠でやってきた。

といっても［河内屋］とは、ほんの四町（四〇〇《メートル》）ばかりの距離でしかない。

その医者に僅かに遅れて、帆柱の喜平が到着した。

喜平を呼びにいった甚五郎の若い衆と、喜平の子分二人も一緒であった。

新和泉町の自身番から借り出してきたか、喜平は突棒《つくぼう》を、子分の二人はそれぞれに刺叉《さすまた》に袖搦《そでからめ》を手にしている。

喜平が甚五郎にいった。

「待たせちまって、すまなかったな。早くも騒ぎを聞きつけて、店前は野次馬の黒だかりだ」

「おう、そうかい。なら、邪魔が入っても面倒だ。おい、粂《くめ》、おめえ、誰も入ってこねえように、勝手口のところを固めろ」

若い衆の一人に、そう指示した。

「世話をかけるな。道道に、でえてえのことは聞いた。犯人《ほし》を蔵ん中に閉じこめたそうだな」

喜平が確認をとると、

「そうらしい。しかし……」

鳶頭の甚五郎は、腕組みをして土蔵を見上げ、

「先ほどから、ことりとも音がしねえ。息を殺して外の様子を窺っているようだ」

「そうかい。それより、ここの旦那が刺されたというが、傷の具合はどうなんだい」

「先ほど医者が着いたようだが、詳しいことは分からねェ」

「そうかい。じゃ、とりあえずは御用にするか。おまえたち、準備はいいな」

喜平がいうと、子分二人が、へいと答えた。

「俺たちも手を貸すぜ」

甚五郎がいうのに、

「なに、蔵の中に、そんなに大勢で入っても、かえって動きがとれねえ。それより、頭の黒い鼠が飛び出してこねえともかぎらねえ。そうなったときには、思うさま、叩きのめしてやってくれ」

「合点承知だ」

そのとき、蔵前に残っていた手代の佐吉がいった。

「相手は、雲つくような大男だそうでございます。どうぞ、お気をつけて」

「そうかい。ありがとよ。それよりよ、蔵の中は真っ暗けのけだろう。灯りがいるぜ」

「あ、それなら、親分さんの足元に……」

金網張りの鉄籠に入った蠟燭《ろうそく》立てが転がっている。おそらくは、弥兵衛が蔵に入るときに使ったものであろう。

落としても火がまわらないよう、蔵持の商家には、必ずそのようなものが置いてある。

「分かってらあ。火種がなけりゃあ、どうにもならねえだろうが」

「あ、これは気がつきませんで」

佐吉が母屋に入ろうとするのに、

「あ、それから、蔵の鍵も忘れるんじゃねえぜ」

喜平は、念を押した。

炭火の入った煙草盆《たばこぼん》の灰皿と、付木《つけぎ》、それに海老錠の鍵を手に佐吉が戻ってきた。

いよいよ捕り物がはじまるとあって、お店《たな》の奉公人たちも、ぞろぞろと蔵前に集まってきた。

灯りを手にした喜平が蔵前に立った。

子分たちは、その横で刺叉と袖搦を手に身構える。

「それ開けるぞ」

甚五郎のところの若い衆が、観音開きの漆喰扉を大きく引き開ける。

紐のついた稲妻形の鍵を手にしている手代の佐吉に、喜平は尋ねた。

「ちょいと尋ねるが、この蔵の外錠、つまり漆喰扉の錠はどうなったい」

「はい。外扉の海老錠は、開店しましたのちに旦那さまがはずし、閉店後に再び錠をかけるというのが通例になっております」

「なるほど、すると内扉のほうは？」

「はい。いつも錠がかかっております。蔵に入る用ができたときだけ開いて、用がすめば錠を下ろします。こちらの鍵は、旦那さまが肌身離さず身につけておりますので」

「そういうことかい」

鍵についた紐は、店主の弥兵衛が首から下げていたものらしい。

すでに外扉は開いている。

喜平は灯りを手に戸前に歩み寄り、内扉の金網越しに蔵の内部を覗き込んだ。

ひっそり静まりかえっている。

灯りが届く範囲だが、人の気配は感じられなかった。

「よし、じゃあ、海老錠を外してもらおうか」

「はい」

手代の佐吉が鍵を手に歩み寄って、へっぴり腰で海老錠を外すと、そそくさと離れていった。

「じゃあ、開けるぜ」

子分たちに小さくいって、喜平は金網張りの格子戸を引いた。

「それ」

突棒を槍のように小脇に抱えた喜平を先頭に、二人の子分たちも蔵の中に消えた。

「………」

蔵の外では甚五郎に若い衆、「河内屋」の奉公人たちが、固唾《かたず》を呑んで、これから起こるであろう捕り物騒ぎを、今や遅しと待ち受けている。

番頭や、すずの姿が見えないのは、傷を負った主人や、駆けつけた医者に手を取られているのだろう。

いつまでたっても、蔵の中は静かなままだった。

あまりに緊張が続いたせいだろう。

ちょうど、そんな折に暮れ六ツ（午後六時）を知らせる捨て鐘がゴンと鳴り、

「ひえっ！」

小僧の一人が時ならぬ悲鳴を上げて、みんなの首をすくめさせた。

「ばかやろう」

思わず飛び上がった手代の佐吉が、小僧に毒づく。

捨て鐘が三つ、それからゆっくりと、鐘の音が六つ鳴り終わったあとに、憮然とした顔つきで、喜平は出てきた。

「どこにも、だあれもいやしねえじゃねえか。雲つく大男どころか、鼠一匹、いやしねえよ」

「そんな馬鹿な」

手代の佐吉はじめ、何人かが口にした。

「積み上げた長持や木箱のかげも念入りにたしかめた。二階に続く段梯子のかげも、二階もとっくりと探ったが、誰もいねえ。ただ、二階には血溜まりがあって、そこから段梯子、そしてここまで点々と血の跡が続いている。つまり旦那が刺されたのは、二階ってえことになるが、犯人は、とっとと逃げちまったんじゃねえのか」

「そ、そんなはずはございません」

佐吉はムキになった口調で、犯人を閉じこめた状況を、一から説明し、

「そのことは、番頭さんをはじめ、ここにいる小僧や、ほかに何人もが見ています。とても犯人が逃げ出せるような隙はありませんでしたよ」

「ううむ」

苦りきった表情になって、喜平は空を仰いだ。

鳶頭の甚五郎がいう。

「二階の窓から抜け出したとか、屋根を破って逃げたなんてことはないのかい」

「そいつもたしかめてきたが、そんな痕跡はなかったよ」

出入り口は、この戸前ひとつ。

そこは二重の扉と、大きな錠で閉ざされていた。

二階の窓は四方に四つあったが、いずれも同じく、金網張りの格子戸と漆喰塗りの扉がついて、外からの侵入を防ぐため、内側からしっかり錠が下ろされていた。

つまりは、ひと一人、凶器とともに煙のように消えたことになる。

（雲をつくような、大男なあ）

実は喜平には、ちょいと気がかりな点があった。

そのとき、甚五郎のところの若い衆がいった。

「一昨日《おととい》は送り火で、昨日《きんの》は、〈お迎え、お迎え〉と供《そな》え物貰いが行き来してやしたが、ひょっとして蔵には、帰りそびれたご先祖さんでもいやしたかねえ」

「馬鹿なことを、いうんじゃねえや」

一昨日までが盂蘭盆会《うらぼんえ》だったせいで出た冗談であろうが、癇に障って喜平は怒鳴りつけた。

首をすくめたのを見て平生の声に戻し、

「ここは、ひとつ、お怪我をなさっているところ気の毒だが、主《あるじ》から詳しく話を聞かねばなるめえな」

そういったあと、子分たちには、奉公人たちからも話を集めておくようにと指示を出した。

5

ことの顚末は、そういった次第だ。

しかしながら、ひと一人が煙のように消えた、と富沢町の蕎麦屋で蘭三郎に語った山崎弥太郎は、そのとき［河内屋］の前に集まった野次馬の一人にすぎない。

だからして、興味を覚えた蘭三郎が弥太郎にいろいろ質問しても、

「いや。そのあたりのことは、よく分からぬ」

なにもかも分からぬことばかりで、蘭三郎は肝を焼いた。

「なんだ、じれってえな。それでは、さっぱり分からんではないか」

「だから、面妖な話というただろう」

「ふむ。まさに」

蔵に閉じこめたはずの犯人が、狐狸《こり》天狗のごとくに消えたのだから、まことに不思議な話であった。

じれったい分、興味がつのる。

蘭三郎の関心を見てとったか、弥太郎がいった。

「河内屋は、ここからすぐだ。見ておくか」

「そうだな」

見たからといって、なにが分かるというわけではなかろうが、蘭三郎もその気になった。

蕎麦屋の代金は、約束どおりに弥太郎が払い、

「こっちだ」

蕎麦屋を出ると、弥太郎が案内に立った。

長谷川町の自身番の手前を左に曲がった。大門通りだ。

左には呉服織物問屋の［田原屋］、右には古手問屋の［大黒屋］と、大店《おおだな》がある。

二つ目の角を右に曲がったところが新和泉町で、

「あれ」

弥太郎は首を傾げて、

「閉まってるようだな」

といった。

蘭三郎が、弥太郎の視線の先を追うと、そこには〈小間物諸色問屋　河内屋〉と軒看板が上がっていたが、あいにくなことに大戸が閉じられている。

それでも造りつけの立て看板は、鼈甲《べっこう》を模した木看板で、甲羅のところに〈櫛、こうがい、かんざし〉と三行分けで書かれているから、どういったものを扱っているのかが知れた。

見たところ、間口が五間ほどの中規模の店のようだ。

「蔵が見えねえな」

蘭三郎がいうと、弥太郎が答える。

「横手に、裏長屋に続く木戸があるだろう」

「ああ」

「どぶ板に沿って、河内屋の木塀が続いていてな。そこからなら蔵が見えるぞ。見てみるか」

「うん」

それで木戸のほうに近寄っていくと、天水桶のところで顔見知りでもあったのか、弥太郎が箒を持った小僧に声をかけた。

「やい、小僧、朝方は開いていたのに、どうしてお店《たな》を閉めちまったんだ」

といったところをみると、小僧は「河内屋」の奉公人であるらしい。

「だって、旦那さまが死んじまったから」

しょぼんとした声で、小僧は答えた。

「なに。今朝方は、なんとか命を取り留めそうだ、といってたじゃあないか」

「そのはずだったんだけど、昼を過ぎて、突然にいけなくなっちまったんだよう」

十歳《とう》か、そこらの小僧が、ぐすんとすすり上げた。

「そうかい。そりゃあ、気の毒だったなあ」

弥太郎が、小僧に慰めのことばをかけていたそのときだった。

「河内屋」の大戸の潜り戸が、ぱたんと開いて、人影が表通りに現われた。

「あ……」

思わず声を出した蘭三郎に気づいて、

「お！」

と、同じく声を上げたのは、なんと蘭三郎の父の鈴鹿彦馬であった。

「父上……」

大股に近づいてきた父が、

「こんなところで、なにをしておる」

蘭三郎にいう。

「は。きょうは、竹中道場の稽古の帰りにて、あ、こちらは同門の者です」

すると弥太郎はちゃっかりと、

「山崎弥太郎と申します。ご子息とは誼《よしみ》を通じたる仲にて、以後、お見知りおきくださいますようお願い申し上げます」

頭を下げている。

「お、そうか。こちらこそ、よろしく伜のことをお頼み申す。ところで蘭三郎、分かっておろうが、御役の途中だ。あまり、うろちょろとして邪魔をするではないぞ」

「は。それでは、これにて」

弥太郎が袖を引くので、二人で父にぺこりと頭を下げて人形町通りのほうへ進むと、

「あ、スズランの坊ちゃん」

そんな声がかかった、

蘭三郎をそのように呼ぶ者は、二人しかいない。

やはり喜平だった。

「あ、おじさん」

「はい。あれ、どうしてこのようなところに……。あ、見物でございやすかい」

「ま、そうなのだが……」

「そうですかい。だが、今はちょいとバタバタしておりやして……」

「いやいや、お忙しいでしょうから、かまわないでください」

「へい。じゃあ、ごめんなすって」

喜平は小走りに、蘭三郎の父のほうへ去っていった。

「いや。驚いた」

実のところ蘭三郎は、喜平が岡っ引きだということは知っていたが、このあたりが縄張りとは知らなかったし、また、父親の担当区域だということも知らなかったのである。

「俺のほうこそ、びっくりしたぞ」

と、なおも蘭三郎の袖を引きながら、弥太郎がいう。

「おい。そんなに袖を引っ張って、どこへ行こうというのだ」

［河内屋］から、どんどん離れていく。

「うん。すぐそこが、俺の家だ。ちょいと寄っていけ」

「ふむ……」

「それにしても、おまえが不浄役人……、あ、すまぬ、すまぬ。勘弁しろ。町方の伜だったとはなあ。道理で、ときどきべらんめえが出るはずだ」

いって弥太郎は、

「ほれ、こっちだ」

細い小路を右に折れた。

橘《たちばな》稲荷の隣地に建つ、瀟洒《しょうしゃ》な二階屋であった。

黒塀から、見越しの松が顔を覗かせている。

十年前の事件《ヤマ》

1

その小路を抜けた先は、東西に細道が続く片側町で、南側には庭付きの小粋な家が建ち並んでいる。

その昔、将軍家奥医師であった岡本玄冶《おかもとげんや》の拝領屋敷があったところだから、誰いうとなく〈玄冶店《げんやだな》〉と呼ばれている。

この当時は、まだ、お富《とみ》と切られ与三郎《よさぶろう》の歌舞伎も上演されていない時期ではあるが、住人の多くは富裕な商人の隠居、あるいは妾宅であることに変わりはない。

それで口にこそ出さないが、蘭三郎は、「なるほど」と心に覚えながら、小路際から少し奥まったところに設けられた、これまた小粋な網代《あじろ》木戸の前に立った。

だが弥太郎は、その網代木戸を押すでもなく、

「戻ったぞ」

と、内部に声をかけた。

（はて……？）

すると内部からは、

「はい。しばしお待ちを」

と返事があり、中から閂《かんぬき》をはずして木戸を開けたのは、なんと羽織袴の若侍であった。

しかも——。

「お帰りなさいませ」

と頭を下げるのに弥太郎は、

「うむ」

と、鷹揚《おうよう》に答え、

「友人を連れてきた。茶菓の用意を頼む」

すると若侍は、

「いらっしゃいませ」

蘭三郎に腰を折ると、脇に控えた。

(こりゃ、なんだ)

大いに目算がちがって蘭三郎は、

(こやつ、父親は、よほど身分のある人物か)

と、前を行く弥太郎の背中を見下ろしながら思っている。

「先ほどの若侍は？」

座敷に案内された蘭三郎が、さっそくたしかめると、

「ふん。ありゃあ、高山《たかやま》といってな。うちの若党だ」

畳に大あぐらをかきながら、弥太郎はこともなげに答え、

「まあ、ともかく座れ」

蘭三郎も、あぐらで座った。

「ところで、おまえ、スズランと呼ばれておるのか」

「いや。そういうわけではない。俺をスズランと呼ぶのは、さっきのおじさんだけだ」

「鈴鹿蘭三郎を、縮めたってわけか。うまい具合にいくもんだ。俺ならさしずめ〈ヤマヤ〉となるが、なんの、ちっともおもしろくもない。ところで、ありゃあ、帆柱の

喜平と呼ばれる岡っ引きだろう」

「知っておるのか」

「知らいでか。というより、ありゃあ知る人ぞ知る、長命丸《ちょうめいがん》に帆柱丸《ほばしらがん》、魂胆遣曲道具《こんたんやりくりどうぐ》の元締め、四目屋忠兵衛《よつめやちゅうべえ》その人じゃないか」

「や」

弥太郎に図星を指されて、蘭三郎は返事のしようがない。

四目屋というのは、現代でいうところのアダルトグッズ、秘具、秘薬の専売店だ。両国橋西広小路に近い米沢町《よねざわちょう》で、四目結《よつめゆい》の紋が入った黒い提灯が目印の店である。元もとは看板も上げず、好事家《こうずか》の口から口へと伝えられていく忍び所のような店であったという。

ところが、すぐ近間の吉川町に、四ッ花菱を紋所にした「高須屋《たかすや》」安兵衛《やすべえ》が〈元祖四目屋〉の看板を上げて新店を開いた。

こうなると、米沢町のほうでも黙っているわけにはいかない。

それで四目結の紋には〈阿蘭陀秘法方《オランダひほうかた》〉の文字を加え、軒下には〈日本一元祖四目屋うんぬん〉の大看板を掲げて対抗し、いまだに元祖争いを続けている。

いやでも応でも、江戸市民の耳目《じもく》を集めているのであった。

かの蜀山人《しょくさんじん》こと大田南畝《おおたなんぽ》が、その大看板の、うんぬん、の部分を『通詩選諺解《つうしせんげんかい》』の戯詩の注釈に書き残したのを見れば――

長命丸元祖明応《めいおう》年中にはじめて長崎へわたり寛永《かんえい》年中御当地にて売りはじむ、と両国米沢町四目屋が招牌《かんばん》に見えたり。危檣丸《ほばしらがん》は至て近世のものなり。詩の心ははずして解すべし。

とある。

蜀山人は気づかなかったようだが、現代から見れば、この看板の文言《もんごん》には首を傾げる向きがある。

というのも、寛永年間（一六二四～一六四四）に、まだ米沢町など影も形もない。

そこには矢ノ倉という幕府の御米蔵が建っていた。

その矢ノ倉が類焼したのが元禄十一年（一六九八）のことで、その跡地が武家地と町家になった。

米蔵のあとにできたので米沢町となったのが、町名の由来である。

とはいえ、百年以上も昔に米沢町があったかどうかなど、いちいち調べる物好きもいないだろうから、堂堂と掲げられた誇大広告にケチをつけようというのではない。元祖争いのおかげで、四目屋は江戸市民にとって、すっかり名代の――有名店であったというだけの話である。

「なあ、なあ」

普段は吊り目の弥太郎が、心持ち目尻まで下げて身を乗り出し、鰹節に出会った猫のような声を出した。

「ということは、おまえ、四目屋に出入りをしておるのか」

弥太郎の魂胆が見え見えだったので、蘭三郎は軽くいなしてやった。

「なら、どうした」

「いやさ。なんということもないのだが……うむ、四目屋には奇品、珍品が山とあると聞く。だから、その……、なんだ……。おまえの顔が利くのなら、ちょいと案内など願おうかと思うてな」

元より蘭三郎とて、そちらのほうには大いに興味津津《しんしん》の年ごろであったから、弥太郎が身を乗り出してきた気持ちはよく分かる。

「残念ながら、俺とて、一度も店に入ったことはない。それに、あの喜平おじさんは、先ごろに隠居をして、四目屋忠兵衛の名跡は跡取りのほうに移っている」

「おや、そうなのか。しかし、まあ、縁が切れたわけではない、わな」

と、弥太郎は、あきらめが悪い。

(さては……)

このときになって蘭三郎は、なぜもって弥太郎が、ぐんぐん袖を引いて蘭三郎を自宅にまで連れ帰ったのかが読めた気がした。

「もしや、俺をここに連れてきたのは、四目屋に案内させたいからであったのか」

「あ、いや、それだけではないぞ。つまり、ほれ、河内屋のな、謎についても語り合おうと思うてのことだ」

「ふうん」

語るに落ちている。

「いずれにしても、だ」

蘭三郎はいった。

「おまえは笑うが、俺は母上から元服までは店食い、買い食いは控えよ、といわれて、それを守ってきたような男だぞ。そんな俺が、四目屋に出入りなどすると思うか」

「ふむ……」

弥太郎は神妙な顔つきで、鼻の頭をぼりぼりと掻きながらいった。

「なるほどなあ。風来山人《ふうらいさんじん》の根南志具佐《ねなしぐさ》に書かれた親子連れみたいなものか」

「なんでぇ、その、ねなしぐさ、というのは」

　蘭三郎は首を傾げた。

「そんなことも知らんのか。風来山人とは平賀源内《ひらがげんない》の筆名で、根南志具佐は戯作《げさく》だ」

「いやいや、風来山人が、四年ほど前に獄死した平賀源内であるくらいは知っているが、俺はあいにく、戯作や草紙《そうし》のたぐいは読まぬのだ。で、尋ねるのだが、そのねなしぐさに書かれた親子連れとはなんのことだ」

「うむ。両国広小路近辺の情景が描かれていてな。いいか、こうだ。長命丸の看板に、親子連《づれ》は袖を掩《おお》ひ、編笠提《さげ》た男には、田舎侍懐をおさへてかた寄り、利口のほうかし（放下師）は、豆と徳利を覆し、西瓜《すいか》のたち売は、行燈《あんどん》の朱を奪ふ事を憎《にくむ》。といった具合に書かれておる」

「ふうん。よく覚えているもんだ。つまり、なにか。俺のことを、母親に、いかがわしい看板を見せないように気遣われる童のようだといいたいのか」

「ま、そういうことだ」

「ふうむ……」

　なにやら馬鹿にされたようだが、当たらずといえども遠からず、であるのはたしかだ。

そのとき――。

「御免をこうむります」

襖の向こうから女の声が届いた。

2

思わず蘭三郎が、あぐらを解いて正座に変えたのは、弥太郎の母親がやってきたか、と思ったからだ。

だが、ちがったようだ。

襖を開き、茶菓を運んできた女性《にょしょう》は年増《としま》の二十代半ば、弥太郎の母親にしては若すぎる。

鳶八丈《とびはちじょう》の太織り紬《つむぎ》に、黒繻子《しゅす》の帯をやの字に結び、髷《わげ》は、しの字、とくると、これは旗本家の下級腰元――大奥ならば御末《おすえ》と呼ばれる雑用係の仕着《しき》せだと、すぐに気づいた。

（それにしても……）

弥太郎は自分のことを妾の子だといったが、その妾宅には若党ばかりか、腰元までも置いている。

（いったい、こやつ……）

どういった人物の落とし胤《だね》であろうか、と蘭三郎は改めて思った。

「おい、綾葉《あやは》」

無言で茶菓を置き、去ろうとする腰元を弥太郎が呼び止めた。

だいたいに大奥をはじめ、大名、旗本などは、御女中や腰元などにたいそうな源氏名をつける。

綾葉、も、その口であろう。

「おまえ、長命丸というのを知っておるか」

「ま、若さま」

いきなり弥太郎に浴びせかけられた綾葉は、袖で口元を覆うと、そそくさと襖の向こうに消えてしまった。

「ハハハ……、やはり、知っていたようだ」

「悪趣味だぞ、おまえ」

蘭三郎がたしなめると、

「なんの。あやつ、おまえの顔を見て、ぽっと顔を赤らめよっただろう。だから、からかってやったのだ」

「………」

たしかに綾葉が頰を染めたのには、蘭三郎も気づいていた。

「それほど、四目屋の長命丸は有名だってことだ。ところで、おまえは現物を見たことがあるか」

「長命丸をか」

「うん」

「いや、ない」

「だろうな。じゃあ、使い方は」

「丸薬らしいから、服するのであろう」

「なるほどなあ。まさかとは思うが、効能も知らんのではなかろうな」

「名からすると、長命の薬であろう」

「ほら、これだ。おまけに草紙のひとつも読んではおらんようだ。だから、おまえのことを朴念仁だというのだ。初心《うぶ》だ、晩生《おくて》だというよりも、そこまでくれば、もうあきれ果てる。いったい、おまえは、世のなかのなにを見て、これまで育ってきたのだ」

「…………」

弥太郎の口の悪さは承知のうえだが、そこまでいわれると、もしや自分はそれほどに世間知らずなのか、という気分になってきた。

そういえば、天麩羅蕎麦が、あれほどうまいものとは、きょうまで知らずにきたのである。

「考えてもみよ。長命丸なるは、四目屋薬の看板みたいなものだ。ならば、普通の薬であるはずがなかろう」

「ま、そういわれれば、たしかに……」

蘭三郎にとっては、これまで考えてもみなかったことである。

「よし。百聞は一見にしかず、という。長命丸の現物を見せてやろう」

いって弥太郎は立ち上がり、窓辺に置かれた文机《ふづくえ》の手文庫から取り出してきて、

「ほら、これだ」

手を開いて見せた。

「これが……」

蛤《はまぐり》であった。

「さよう。長命丸の容器は、この蛤の殻でな。なぜ蛤なのかには、もちろん意味がある。いやいや、こんなことをおまえにいうても、ちんぷんかんぷんであろうがな」

「待て、待て。そんなことよりおまえ、ちゃんと四目屋に出入りしているではないか」

「馬鹿をいえ、こんなものは四目屋へ行かずとも手に入る。出入りの小間物屋から求めたのだ。値は、僅かに三十二文だ」

「ほう」

小間物屋が売り歩いていることも、蘭三郎は知らなかった。

「川柳《せんりゅう》に、また貝を捨てていったと茶屋笑い、というのがあるが、その貝というのが、この蛤の容器のことだ。どうせ、おまえには分からんだろうがな」

「…………」

たしかに自分は、なにも知らない。いや、知らなさすぎるのであろうか——。

「こんなふうになっておる」

弥太郎が、蛤の殻を開いて見せた。

貝殻の中に、茶褐色の小粒の丸薬が、いくつか入っている。

「使ってみたのか」

「残念ながら、まだ、その機会はこぬ。まあ、話の種だ。それよりおまえ、その美貌だから、女には騒がれよう。もう、女を知っておるのか」

「ば、馬鹿をいえ」

思わず、蘭三郎は上気した。

「そうか。まだか。いや、少し安堵した」

なにが安堵だ、と蘭三郎は思いながら、はて、こういうのを猥談というのであろうか、などとも思っていた。

なにやら、妙に胸が高まっている。

「ほれ、用法や効能は、ここに書いてあるとおりだ」

一枚の紙片を渡された。

目を走らせる。

此薬《このくすり》もちひやう、おかさんと思う一時前に唾《つわ》にて溶き、頭《かしら》より元までよく塗るべし。そのときひりひりすべし。驚くべからず。交わる前に玉茎温かになり申候。その時、湯か茶か、または小便にて洗い落とし、交わるべし。そうじて水にて洗うことを忌むなり。

かっと、頬が熱くなってきたが、目は勝手に次の文に移っている。

此薬、もちひて妙は玉茎《たまぐき》あたたかにして、太さ常にまさり。勢《せい》強くして淫精もることなく心まかせたるべし。玉茎、玉門の内へ入れ――（中略）――いかほど慎む女、また遊女にても、覚えず息荒く声をあげ、腎水《じんすい》流れ悦《よろこ》ぶこと限りなくて、男を思ふこと年寄るまで忘ることなし。一儀《いちぎ》過ぎ間もなく二度めを好み――中略――もし男、気をやらんと思うときは、湯か水かまたは唾にても飲むべし。その漏れること妙なり――後略――。

少しくらくらする頭を上げて、

「もう、よい」

紙片を投げ捨て蘭三郎は、激しい声でいった。

「からかうにしても、ほどがある。俺は河内屋の事件の謎を語ろうと思うておったのに、このようなみだらな話には、これ以上はつきあえぬ」

本来なら、そのまま席を蹴りたいところだったが、あいにく、そうはできない事情が生じていた。

蘭三郎とて木石《ぼくせき》ならぬ男の身であったから、股間のものが、ついつい起きあがっていたのである。

だが、そうとは知らない弥太郎のほうは、またまたいつもの伝で、

「すまぬ、すまぬ、勘弁しろ。決してからかうつもりなどはなかったのだ。いや、思いがけず、おまえが帆柱の喜平親分と知り合いだと知ったものでな。ついつい、話が横道にそれてしもうた。いや、怒るな。つまるところ、岡っ引きと知り合いならば、きのうの河内屋の、あの面妖なる事件のなりゆきなども分かろうかと、そう思ったのがはじまりじゃ」

「…………」

「ま、機嫌を直して、ほれ、まずは羊羹《ようかん》でも食べろ、茶を飲め、塩瀬の羊羹だぞ」

「うむ」

［塩瀬］と聞いて、思わず手が出た。

めったに口にできない、羊羹の最高級品であったのだ。

「で、どうだ。いつごろなら、帆柱の喜平親分から話を聞けそうかな」

「そうだな」

口中に広がる甘さをいとおしんだのち、蘭三郎は考え、

「すぐにというわけにはいかねえだろうな。なにしろ、きのうのきょうだ。しばらくは探索で忙しかろうから、話を聞くにしても、迷惑がかかろう」

「それはそうだろうが、そのうち、事件が解決してしまうかもしれないぞ」

「そうかもしれないが、そうなればなったで、ひと一人が消えた謎も分かるだろう。なにも俺たちが首を突っ込むことではねえだろう」

「そりゃあ、そうだが……」

弥太郎は唇をとがらせ、

「おい、抜け駆けはするなよ」

「抜け駆け？」

「うん。親分のところに行くときは、必ず俺にも声をかけろ」

「分かった。そうしよう」

蘭三郎は約束した。

3

「河内屋」を出たところで、ばったり伜の蘭三郎と出会ったあとの鈴鹿彦馬は、中間や小者たちを先に帰した。

「帆柱の、顔を貸せ」

いって帆柱の喜平を、三光《さんこう》稲荷横の小さなめしやに誘った。

夜には赤提灯に火を入れて、居酒屋になるような小店だ。

浅間焼けの影響で薄暗くはあるが、本来ならまだ陽の高い時刻なので、客はいなかった。

「ちょいと小上がりを借りるぜ」

薄暗い店内を奥の小上がりに向かうと、女が火を入れた置き行燈を運んできた。

町方同心と岡っ引きが連れ立って入ってきたので、気を利かせたのであろう。

「お、すまねえな。なにか適当に見繕ってな。冷やでいいから酒も頼もう」

それから腕を組み、喜平にいった。

「どうでえ。めどはつきそうかい」

喜平は、黙って首を振った。

「だろうな。とんと、わけの分からねえ話だ」

彦馬は、溜息混じりにいった。

だいたいの事情は、喜平からも聞き、きょう［河内屋］の番頭をはじめ、お店者《たなもの》たちからも直接にたしかめている。

きのうの暮れ六ツ（午後六時）前に、喜平が［河内屋］へ駆けつけて土蔵内に入ったが、閉じこめていたはずの賊は姿を消していた。

そののちに、なにか盗まれたものがないかを番頭にたしかめさせたところ、土蔵二階の金箱から五十両が消えていた。

そこで喜平は、番頭とともに、まだ息のあった［河内屋］の主人の弥兵衛から、詳しいいきさつを聞き取っている。

それによると――。

昨夕、弥兵衛は、兼ねて注文を出しておいた鼈甲製の笄《こうがい》が納品されたので、それをしまうため、土蔵に向かった。

すると用心土を入れた箱の中に、海老錠が置かれている。

はて、こいつは……と、厚い漆喰の外扉を片方だけ開いてみると、案の定、内扉が開いていた。

蔵の二階で物音もした。

そこで段梯子を上っていくと、頬かむりをした、雲をつくような大男と出くわして揉み合いになった。

ちょうどそんなとき、表からすずの声がした。

一瞬ひるんだ大男を突き飛ばし、弥兵衛は取り落としたものの火は消えていない蠟燭立てを拾うと、段梯子を駆け下りた。

そのときになって、自分が刺されていることに気づいた。

下手《へた》をすれば、すずにも危害が及ぶかもしれない。

そこで弥兵衛は、

「くるな。近寄るんじゃないぞ」

と、夢中で叫んだという。

やがて、番頭の友七や手代の佐吉、若衆の文吉に、小僧の昌吉、清助の五人が駆けつけてきた。

そのとき、賊の大男は蔵の中だった。

だのに、閉じこめたはずの大男と、五十両の金が消えた。

筋の通らぬ話ではないか。

「弥兵衛は、刺されて意識が朦朧《もうろう》としていたんじゃあねえのか」

「へい。それしか、考えられやせん。小女のすずが番頭たちに急を知らせ、蔵の戸前に駆けつけるまでの間に、賊はさっさと蔵を出ていた。ところが弥兵衛は朦朧としていて、そのことにさえ気づかなかった。そう考えるしか説明がつきやせん」

「そうだよなあ」

「へい。そういたしやすと、その後の賊の足どりは、木塀の勝手口から裏店《うらだな》への路地へ出る。そこから表通りの路地木戸に、あるいは裏店のどぶ板路地を突っ切って、こちらの三光新道《さんこうじんみち》へ出たはずでござんすが……」

「それらしい人物の目撃者が出ねえんだな」

「へい」

喜平と、その子分たちが、昨夜一晩をかけて近辺、特に裏店をしらみつぶしに当たったが、賊らしい人物の目撃者は出なかったそうだ。

時刻はちょうど、七ツ半（午後五時）に職人や大工たちが仕事じまいをして、それぞれに家路を急ぐ時間帯だし、そういうのに取りまぎれてしまったとも考えられる。

喜平は特に、［河内屋］の裏店に住む住人の内に犯人がいないか、と目星をつけていたようだが、長屋の住人に大男は数えるほどしかなく、ついに怪しい人物にはたどり着けなかったそうだ。

酒と料理がきた。

「手酌でやろうぜ」

ぐい呑みに冷や酒を注ぎ、一口あおってから彦馬はいった。

「それにしても、営業中の蔵破りというのは珍しいじゃないか。それも一人働きだ。どっかに穴がありそうなもんだが……」

「へい。あっしもまずは、店の誰かが犯行に関わっているんじゃねえかと疑いやした。ま、今んところ、怪しそうなのは一人も出てきやせんがねえ」

河内屋の奉公人は、ぜんぶで八人、番頭の友七だけが通いで、残りはすべてが住み込みであった。

「…………」

「それから、肝心の海老錠を、よっく調べてみやしたが、こじ開けたり壊したような痕跡はねえ。すると犯人は、よほどに腕のいい鍵師か、あるいは店内の協力者から鍵を受け取って、蔵に侵入したんじゃねえだろうかと……」

「ふむ。しかし、その鍵というのは、死んじまった弥兵衛が、肌身離さず身につけていたんだろう」

「さあ、そこのところでござんすよ。あっしの店の土蔵にも、同じような海老錠がついてございやすが、鍵は予備も含めて二本ございやすんで。というのも、長らく使い込んでいるうちに、へたったり、欠けたり、ぽっきり折れることもございますんでね」

「もちろん、たしかめたんだろうなあ」

「はい、番頭は、たしかに予備の鍵はあったはずだ。しかし、それを隠している場所は、死んだ弥兵衛だけが知っていることで、自分もどこにあるかは分からねえ、ってえ始末で。ま、少し落ち着きやしたら、弥兵衛の居室を中心に、家捜しでもして二本目の鍵を探してみようと思っていやす」

「そうか。それに、河内屋を辞めていった連中の線もあるぞ」

「へい。その点に抜かりはございやせん。この五年間の出入りを番頭から聞き出しやして、子分に当たらせておりやす。また錠前屋の線も当たらせておりやすが、こりゃあ、なかなか骨が折れそうでござんすよ」

小さく溜息をついて、喜平は、銚子をわしづかむと、直接に口へ運んでぐびりと酒を飲んだ。

それからいう。

「それより、旦那……。皆を帰して、あっしをここにお誘いなさったのは、ほかの話がございましたんでしょう」

まるで喜平が、こちらの心のなかを読んだようにいうので、

「うむ……」

鈴鹿彦馬は、少しく鼻白んだ。

4

「ありゃあ、十年ほど前だったなあ」

「へい。きっちり十年、それも同じ七月の半ばのことでござんした」

「まさか、関わりは、ねえよなあ」

「…………」

喜平はむつかしい顔になり、無言のまま首をひねった。

それから、再び徳利の冷や酒を直接に口へ運んでいる。

(ふむ。こやつも俺と、同じようなことを考えておったか)

鈴鹿彦馬が中間や小者たちを先に帰し、喜平だけをここへ誘ったのには、わけがあった。

（それにしても……）

あの［河内屋］というのは鬼門《きもん》だぜ、と彦馬には苦いものがこみ上げてくる。

「あの弥兵衛の女房は、なんて名だったかな」

「おしの、でございますよ」

ぼつりと喜平が答え、続けた。

「ホシは紫天丸《してんまる》こと、亀吉《かめきち》で……」

「うん、駆け出しの相撲取りだったよなあ……」

十年前の夜、池之端《いけのはた》の出会い茶屋で、一人の女が殺された。

それが［河内屋］の女房のおしのであった。

おしのは［河内屋］の家付き娘であったが、婿養子をとって千代蔵《ちよぞう》という男児を得た。

ところが、おしのが三十歳のとき、父親が死に、婿養子が店主となったころから、男狂いがはじまった。

役者買いに湯水のように金を使われて、［河内屋］の身代は、大きく傾きはじめたという。

おしのは、役者買いばかりではなく、ついには相撲取りにまで手を広げ、当時十六歳で幕下力士であった紫天丸を、しばしば池之端の出会い茶屋に連れ込むようになった。

一方では、宮地《みやぢ》芝居の役者もまた、同じ出会い茶屋に連れ込んでいる。

紫天丸にとっては、当時三十二歳のおしのが知り初《そ》めた女でもあったのか、おしのが別の男と出会い茶屋に入ったのを知り、嫉妬に身を焦《こ》がした。

それで出会い茶屋の濡れ場に暴れ込んだが、いち早く役者のほうは逃げ、紫天丸はおしのを絞め殺した。

それから夜陰に紛れ、尻に帆かけて逃亡している。

おしのは常に、そうとうの金子《きんす》を持ち歩いていたはずだが、それが見当たらなかった。

その金が、紫天丸の逃亡資金になったらしい。

紫天丸は本名を亀吉といい、上州山辺郡東金村《とうがねむら》から江戸に出て、浦風《うらかぜ》の門に入った幕下力士であったが、以降、故郷にも戻らず、手配書にも引っかからず、はや十年が過ぎている。

だが、そういった事件の全容が明らかになるまでに、三日ばかりもかかっている。出会い茶屋から真っ先に逃げ出した宮地芝居の役者を、土地の岡っ引きが押さえたことで、ようやく、殺された女の身許が、［河内屋］のおしのと知れたからだ。まだ事情も飲み込めないままに、出会い茶屋の女中から、犯人は相撲取りのような大男だったと聞いて土地の岡っ引きは、周辺の探索につとめている。聞き込みの結果、大男の足どりは日光道中に認められたが、三之輪《みのわ》あたりで目撃者もぷっつりと途切れ、それきり十年もの月日がたっていたのだ。

そのときの事件を受け持ったのは、彦馬とは所属がちがう南町の臨時廻り同心だったし、岡っ引きも喜平ではない。

ただ、殺された女が［河内屋］の女房だったと分かって、彦馬や喜平が事件の全容を明らかにするために、多少の協力をしたにすぎない。

だが……。

今回の事件が、自分たちの担当なのが問題なのだ。

絞り出すような声で、喜平がいった。

「今度のホシが、あの紫天丸だった、なんてえことは、天地がひっくり返ったにせよ、あり得ませんぜ」

「俺も、そう思う。しかし……」

ちょうど十年、しかも同じ月、今度はおしのの亭主だった男が殺された。

そして、またまた犯人が大男と聞いては、つい疑心暗鬼にもなろうというものだ。

5

十年前――。

色狂いをした挙げ句、自分の息子ほどの年齢の紫天丸に殺されて、おしのの事件は、大いに騒がれた。

瓦版に、役者と相撲取りを手玉に取った挙げ句に殺された女として、面白おかしく書き立てられている。

今度もまた怪事件ゆえに、世間で騒がれる可能性があった。

今はまだ、[河内屋]の十年前の事件にまで思いを馳せる人物はいないが、もしそのことをほじくり出されでもすれば、と思うと、鈴鹿彦馬は、いてもたってもいられない焦燥感に襲われる。

「分かっちゃいるだろうが、お宮入りでもしようものなら、俺の顔が立たねえ」

決めつけるようにいった。

「へえ。そりゃあ、あっしだって同じことで……」

喜平もまた、同じく自分の面子《めんつ》に思いをいたしているようだ。

「番頭にも、固く口を閉ざすように念を押しておいてくれよ」

「へい。ようくいって聞かしておきやした」

きょう見たところ、十年前の事件を知っているのは、当時も番頭であった友七だけであった。

あとの奉公人は、全員が入れ替わっている。

「ところで、河内屋の奉公人は、えらく少なくなったなあ」

「へい。あのころは二十人からおりやしたが、今は小女や小僧も含めて、たったの八人ですからねえ」

「ふうん。よくそんな人数で、あれだけの店がまわるもんだ」

「へえ。町鳶の甚五郎の話によると、おしのの荒い金遣いで身代が傾きかけたところに、あんな世間に恥をさらすような事件があって、てっきりまわりでは、河内屋もいずれはつぶれるだろうと思っていたそうで。ところが弥兵衛は、なかなかしぶとく、始末に始末を重ねて、身上《しんしょう》をはたくことなく、きょうまできたようで」

聞いて思わず、彦馬は眉をしかめた。

（そうか。番頭の友七以外にも、十年前の事件を覚えていたやつがいたか……）

こりゃあ、早晩、今度の事件に尾ひれがつくのも覚悟しておかねばならぬだろうな、と覚悟を決めた。

銚子を取り上げたが、もう空だった。

「ちっ！」

と、舌打ちをしたあと、彦馬は空の銚子を盆に戻していった。

「それにしても、跡取りが留守中に、弥兵衛が殺されてしまうとは、よくよく運のない一家じゃねえか。倅には知らせようもねえのかい」

「はい、番頭の話では、この月の頭から塗櫛《ぬりぐし》で有名な、木曾の奈良井《ならい》に買付に出かけているそうでございやす」

「なに。奈良井の宿といえば木曾路十一宿のひとつ、いやいや、江戸からだと中山道か。もしや、浅間のお山からも近いんじゃねえのかい」

浅間山の噴火に、巻き込まれたのではないのか、と彦馬は危ぶんだ。

「はい。死んだ弥兵衛も番頭も、そのことで、ずいぶんと気を揉んだようでございますが、ええと……」

喜平は懐から手控えを取り出すと、たしかめながら答えた。

「弥兵衛たちが手を尽くして調べたところでは、浅間山の噴火で中山道筋に影響が出たのは、東のほうから軽井沢、沓掛《くつかけ》、追分《おいわけ》、小田井《おたい》、岩村田《いわむらだ》、塩名田《しおなだ》、八幡《やわた》の宿場町あたりまでだそうでござんして、江戸から八幡の宿までは、およそ四十四里。一方跡取りのほうは、今月の一日に旅立っておりますから、浅間の噴火がはじまった七月六日には、もうとっくに先へと……。江戸から奈良井までは六十四里ほど、うまくいきゃあ、奈良井にも着いていただろうとのことで」

「そりゃあ、不幸中の幸いだ」

「ま、帰りに中山道が使えぬとなれば、下諏訪《しもすわ》あたりから甲州街道に出て江戸へ戻ることになりやしょうが、さて今ごろは、どこの旅の空の下でござんしょうか」

「戻ってくりゃあ、さぞ驚くだろうな。母親ばかりか、父親までもが殺されるなんざあ、どういう星の下に生まれたもんか」

「あ、いえ、旦那……。こりゃあ、あっしの舌っ足らずでござんした。河内屋の跡取りは、おしのが産んだ千代蔵じゃあなくって、二年前に養子に入った、清太郎《せいたろう》ってえ男でございますよ」

「なにぃ。じゃあ、ええっと、千代蔵だったか、そっちはどうなったぃ」

もう記憶は定かではないが、彦馬が十年前の事件のことで［河内屋］を訪ねたとき、その子は十二歳だと聞いた覚えがある。

「はあ、番頭の話では、あの千代蔵は六年前に、赤瘡《あかがさ》にやられて亡くなったとか。十六歳だったそうで」

「ふうん。疱瘡《ほうそう》でかい」

彦馬自身も、ずっと昔に、一人きりの妹を疱瘡で失っている。江戸時代を通じ、日本人の死因の一位は、この天然痘であった。

ふと哀れを感じた結果——。

「おい、酒を頼む」

思わず酒の追加を怒鳴ってから、彦馬はしばし考えた。

喜平がいった。

「清太郎は二十四歳、日本橋青物《あおもの》町《ちよう》の藤屋《ふじや》藤助《とうすけ》紅白粉所《べにおしろいしよ》で手代をしていたのを、弥兵衛が見込んで二年前に養子に入れたそうです。番頭によれば、しごく真面目な働き者ということでございやすよ。それに、どちらかといえば小柄な男だそうで」

「ふん、べつに疑ってなんかいねえや」

実のところ彦馬は、ふと、その養子が犯人の可能性はないかと考えはじめていたところであったので、少しばかり喜平の訳知り顔が癪に障った。

桜木町の四六見世

1

翌日に、［河内屋］から葬儀の列が出た。

一昨日に刺され、きのうになって治療の甲斐なく命を落とした弥兵衛は、元は長《ちょう》吉《きち》という名だったそうだ。

それが十二歳のときから［河内屋］に住み込み奉公をして、二十三歳の手代のときに、先代に見込まれ、十八歳のおしのの婿養子になった。

「なにしろ、おしのというのは、十八まで、近所でも札付きのあばずれでござんしたからね。それで家付きの娘というのに、養子のきてがなかったんでさあ」

葬列を見送る喜平に、鳶頭の甚五郎がいう。

ずいぶん、さびしい葬式だなあ、と漏らした喜平への答えが、それであった。

（なるほど……）

先代の弥兵衛が死に、おしのも死に、千代蔵も死んだ。

すなわち元々の［河内屋］の血は、もはやすべて絶えている。

たとえ先代に親戚があったとしても、その縁は、とっくに切れてしまったということだ。

喜平は、さらに尋ねた。

「ホトケになっちまった弥兵衛……うん、元の名は長吉だったか。長吉に、きょうだいなどはいなかったのかね」

「いなかったようだねえ。これは先代の主《あるじ》から聞いたんだが、長吉は、幼いころに母親を亡くし、父親は、たしか深川の海辺大工町《うみべだいくちょう》あたりの船大工だったそうだ。その親父が亡くなったのが、長吉が河内屋の養子に決まる前の年のことだった。長吉は天涯孤独の身の上になったんで、それなら安心して養子に迎えられる、というようなことを話していなさったねえ」

「ふうん。つまりは、どんなに女房があばずれでも、我慢するほか、行き先はねえだろうってか」

ずいぶんと、勝手な話だなあ、と喜平は感じている。

あの、おしのが産んだ千代蔵という子も、もしかしたら長吉の子ではなかったかもなあ、と喜平は想像したが、そこまでは口にできなかった。

いずれにせよ、さびしい葬式の理由は、はっきりした。

葬列が街角に消えるまでを見送ってから、喜平は甚五郎に、

「親方、申し訳ねえが、どんな細かいことでもいい、なにかあったら、あっしに知らせてくんねえ」

「おう、もちろんだ。うちの若いもんにもな。怪しい大男を探し出すようにと、いい聞かせている。なにしろご町内あっての俺たちだからなあ」

町鳶とも呼ばれる町火消の費用は、町奉行所から僅かな手当金が出るが、主に町内の旦那衆からの支出によってまかなわれている。

このため旦那衆の家の雑用を務めたり、町内の揉め事を仲裁したり、冠婚葬祭の下働きもする存在であった。

「すまねえな。今んところ、手がかりといえばそれだけだ。よろしく頼んだぜ」

実際のところ、それしかない。

喜平は、子分たちに近所の聞き込みや、奉公人たちの内偵、さらには江戸じゅうの

錠前師をあたらせている。

その一方では、急に金遣いが荒くなったり、羽振りがよくなった大男がいないか、また、秘かに開かれる賭場などに、そのような男が出入りしていないか、四方八方の岡っ引き仲間にも協力を求めるつもりだった。

（しかし……）

こりゃあ、お先まっ暗だぜ。

正直、喜平はそう思っている。

2

［河内屋］弥兵衛の葬儀がおこなわれた日、帆柱の喜平は、八丁堀に散らばる引合茶屋を何軒かまわった。

引合茶屋とは正式の名称ではない。

いわば、岡っ引き仲間の内々で呼ばれる隠語であって、そこでは岡っ引き同士が談合し、〈抜け〉を進行させていく取引場所をさしている。

〈抜け〉こそが、岡っ引きにとっては、大きな収入源であった、だから、そこには江戸の方々から岡っ引きが集まってくるのだ。

たとえば、本所や深川あたりの旗本屋敷や御家人屋敷、谷中《やなか》や駒込《こまごめ》、あるいは牛込《うしごめ》あたりの寺地などで、しばしば賭場が立つといわれている。

喜平は、そういった土地土地を縄張りとする岡っ引きに声をかけては、協力を要請している。

それには、そうとうの物入りとなった。

ただでは動かないのが、岡っ引きという人種である。

岡っ引きといってもいろいろで、喜平などは、大いに毛色がちがう。

なにしろ、この正月、五十歳になったのを機に倅に家督を譲ったが、喜平が米沢町の「日本一元祖四目屋」の主だったことくらいは、みんなが知っている。

帆柱の喜平の二つ名は、いわずと知れた〈帆柱丸〉からきていた。

二十数年の昔――。

まだ「日本一元祖四目屋」の若旦那であった喜平は、自らが開発調製した〈危檣丸〉（当時は、こう書いて、ほばしらがんと読ませていた）を宣伝するために、日々、両国西の広小路に出店を張っていた。

屋台店に〈危檣丸〉を山と積み、真っ赤な布地に墨痕も鮮やかに〈男根《なんこん》　危檣丸《ほばしらがん》〉

と書いた大幟《おおのぼり》を掲げ、屋台には大書した効能書きを貼りつけている。

曰《いわ》く――

此薬一廻《このくすりひとまわ》り御用《おもち》ひ被遊候《あそびそうら》へば、いかほど弱き男根《なんこん》なりとも精力《せいりき》を増し、もっとも ご老人なりとも心のままに強くする事、はなはだ妙なり。

というのを貼りつけたばかりではなく、ときどきは大声で、

「さても、口上のほどお聞きそうらえ。この薬、一廻りお用いあそびそうらえば……」

と、効能のほどを呼ばわって、通行人の耳目を集めていた。

それで、まずは〈帆柱の喜平〉との二つ名がついた。

そんな喜平に目をつけたのが、当時は二十八歳だった、北町の定廻り同心の鈴鹿彦馬である。

「おめえ、なかなか度胸がありそうじゃねえか」

そういって近づいてきた鈴鹿彦馬に、口説《くど》き落とされて岡っ引きを引き受けたのだ。

もっとも喜平は喜平で、あまり胸の張れるものではない家業を、町方の手下になる

ことで守れるかもしれない、という下心もあったのである。

脱線をしかけたが、たちの悪い岡っ引きになると、喜平の懐具合を読んで、協力の見返りに大枚《たいまい》の礼金を要求してくる。

そんな輩には、もちろん大当たりをとったら礼をはずむぜ、とかなんとか、話を成功報酬にすり替えてまとめる。

これが、けっこう気疲れする。

それで、また続きは明日のことにして、喜平は疲れた身体を引きずるように、日暮れ前には横山町一丁目裏通の隠居所に戻ってきた。

「ああ、いけねえ。俺ももう年だ」

台所にいた女房のおてるにそういって、二階に上がるのも億劫《おっくう》で、喜平はごろりと六畳の花茣蓙《はなござ》を敷いた板の間に横になった。

少しまどろんだのか、目が覚めたころにはすっかり日暮れて、行燈《あんどん》には火が灯り、横ではおてるが茶箪笥にもたれて、こっくり舟を漕いでいた。

一眠りの効果があったか、頭はすっきりとして、疲れもとれている。

「おい、おてる」

「あら、あんた、目が覚めたかい」

「おう。手下《てか》たちは、どうしたい」

「何人かやってきては、面目なさそうに帰っていったよ」

「そうかい。やっぱり、いい知らせはないか」

いくら目撃者を捜しても、最初の二日くらいで見つからなければ、あとはどれほど頑張ろうと、そうそう見つかるものではない、ということは、これまでの経験で分かっている。

しかし、今のところ、ほかにはなんの手がかりもないのだ。

思わず溜息を漏らした喜平に、

「イサキの大きいのがあったんで、半身を刺身にしてもらい、残りは煮付けにしたけど、どうなさる」

と、おてるがいう。

「おう、そりゃあ、ご馳走じゃあねえか。じゃ、まあ、酒にしようか。冷やでいいぜ」

いって喜平は、手近にあった煙草盆を引き寄せ、一服つけた。

「おう、こりゃあ、立派なイサキだなあ」

片身の煮付けが大皿に盛られて出たが、尾がはみ出している。一尺（約三〇チセン）

は、ゆうに超えていよう。

「房総沖のが入ったって、いつもの魚屋がいってたよ」

「おう、そうかい。房総沖では、でかいのがとれる」

「横綱とまではいかずとも、大関級だろうねえ」

(ん……)

おてるのいいように、たちまち反応した喜平は、

「おう、こりゃあ、おいらとしたことが……」

ぴしゃんと手のひらで、おでこを叩いた。

「あれ、どういたしやした」

「いやいや、こっちのことだ」

実は喜平、十年前の事件を思い起こしたくせに、まさか今回とは関わりがあるはずがない、というのをあまりに意識しすぎていたようだ。

(なんのことはねえ。相撲部屋なら、大男ばかりじゃねえか)

そのことに、気づいたのであった。

このころ相撲部屋というのは、江戸の各所にある。

たとえは悪いかもしれないが、やくざの親分が、大勢の子分を抱えているような存

在であった。

十年前の事件を起こして逃亡した紫天丸は、本郷金助町《きんすけちょう》の嘉兵衛店《かべえだな》に居を構える、浦風林右衛門《りんえもん》の抱えっ子だったし、伊勢《いせ》の海村右衛門《うみむらえもん》の相撲部屋は、本所松坂二丁目にあった。

（こりゃあ、あしたあたり……）

相撲会所に顔を出し、子分たちに手分けさせて、江戸に散らばる相撲部屋をさぐらせよう。

新たな方針も、出てきたのである。

「おい、おてる。ちっちゃな盃じゃあ飲んだ気もしねえ。蕎麦猪口《そばちょく》でいこうかい」

急に機嫌がよくなった。

「ふうむ、こんなにでかいのに、刺身もとなると、とても一人じゃ食いきれるもんじゃねえ。おまえもつっきな」

いって、いつものように差し向かいで、おてるは飯を、喜平は酒をぐびぐびとやった。

「ねえ、あんた。ものは相談なんだけど……」

「なんでぇ」

「うん。そこの土間なんだけど」

おてるが箸の先で、入口からこっちの土間をさした。

「ずいぶんとだだっ広いけど、使いようがない。いっそのこと、座敷にしちまったらどうかと思ってね。ほら、そうすりゃあ、壁ぎわに薦被《こもかぶ》りの酒樽なんてのをどんと据えて、あんたの手下衆《てかしゅう》たちを、もてなすことだってできるだろう」

喜平の機嫌が良さそうだと悟り、そんなおねだりがはじまったようだ。

「ふん、そうさなあ。おめえももう、四目屋の女房ではなくて、岡っ引きの女房だ。俺のことを考えてくれてのことだろうよ。いや、ありがてえ。そういったことは、おめえにまかせるから、さっそく薬研堀の頭領にでも掛け合って、おめえの好きなようにしたらいいじゃねえか」

「ほんとかい。あんた」

「俺だって、そういったことを考えないでもなかったんだ。それとなあ、おめえももう四十の坂を半ばは越えている。米沢町では何人か小女がいたが、隠居となれば人手もねえ。おまえに所帯やつれでもされれば立つ瀬がねえから、ついでに、小女でも雇ってみちゃあどうだ」

「あれ、そんなことまで考えておくれかい。嬉しいねえ」

なにやら夫婦二人、和気藹藹《あいあい》としているところに、どんどんと腰高障子が叩かれた。

「おや、誰だろう」

茶碗を置いて、おてるが立ち上がろうとするのを制して、

「いや、手下《てか》かもしれねえ。俺が出よう」

土間に降りた喜平に、

「新和泉町の町鳶、甚五郎のところの粂吉と申しやす。帆柱の親分さんはご在宅でござんしょうか」

と、障子の向こうで声がした。

「おう。いるぜ、入んな」

「へい、ごめんなすって」

一昨日の夕、［河内屋］の蔵地でも見かけた甚五郎のところの若い衆が、少し腰をかがめて入ってきていった。

「へい、さっそくですが申し上げやす。つい先ほどのことですが、河内屋の若旦那が旅からお戻りになりました」

「お、そうかい。無事に戻られたんだな」

「へえ、事件のことを知って、たいへんお嘆きで……」

「そりゃあ、そうだろうよ。一足ちがいで、そうれんにも間に合わなかったんだ。無理もねえよ。いや、知らせてくれてありがとうよ。すぐにも行きたいところだが、若旦那の気も動転していることだろう。今夜のところは遠慮をして、明日にでも顔を出すことにしよう。いや、すまなかった。頭の甚五郎さんにも、よろしくいってくれ」

いって喜平は、一朱金の駄賃をはずんだ。

銭にすれば三百文以上、米が値上がりしているこのごろでも、極上の下り酒が一升は買えた。

3

翌朝、五ツ（午前八時）を過ぎたころである。

喜平は朝湯に行って、朝飯もすまし、集まってきた七人の手下《てか》たちに、きょうの探索の割り振りを与えて送り出した。

それから、さて、[河内屋]の若旦那に悔やみのひとつも述べにいき、そのあと富ヶ岡八幡宮近くにある相撲会所にでも足を伸ばそうか、と支度にかかったところ――。

「ごめんなすって」

やってきたのは、甚五郎であった。

「ああ、こりゃあ鳶頭《かしら》、昨夜は……」

使いの礼を述べようとした喜平に、甚五郎は胸の前で手を振って、

「ちょいと出ませんか」

いうと、すっと表へ出た。

訝《いぶか》りながらも、

「じゃあ、出かけてくるぜ」

いうとおてるは手際よく、カチカチと切り火を切って、

「らっしゃい」

と喜平を送り出した。

鳶頭の半纏を着た甚五郎が、腕組みをして表で待っていて、

「ずいぶんと、明るくなってまいりましたなあ」

と、空を見上げた。

「へい、ひところにくらべりゃあ、まだ泣き顔ながらお天道《てんと》さまの顔も見えるようになりやした」

喜平も空を見上げて同調し、

「なにか。ございやしたか」

「へえ。ま、ちょいと、人の耳に入らないあたりがよかろうかと……」

「じゃあ、朝日稲荷にでもめえりやしょうか」

汐見橋を渡った先だが、この時刻ならば、人も少なかろう。

で、朝日稲荷に着いた。

案の定、小広い境内に人影は、ぽつぽつとしかない。

「実は、奇妙な話を聞きましてな」

手水舎《ちょうずしゃ》の柱に寄りかかるようにして、甚五郎が苦々しそうな顔でいう。

「うちの若いもんに、三吉《さんきち》という遊び好きがいるんですが、きょう朝帰りをいたしましてな」

「……………」

「どうやら昨夜は、桜木町の四六見世《しろくみせ》に揚《あ》がったそうだが……」

「ははあ……。桜木町というと、音羽下《おとわした》の……」

護国寺《ごこくじ》門前町のひとつであった。

岡場所の多いところで、切見世《きりみせ》というチョンの間の遊びもできるが、四六見世はもう少し上等で、揚げ代が夜は四百文、昼は六百文取るので四六見世と呼ばれている。

「その三吉がいうには、暮れ六ツの鐘を聞きながら見世に揚がったそうだが、敵娼《あいかた》を決めて二階部屋に入るとき、二つほど先の部屋から帰りの客が出るのを見た、とまあ、こう思ってくだせえ」

「おい、おい、かしら、なんだか、二階から目薬みてえな話しっぷりじゃねえか」

「うん、うん、すまねえ」

　ひとつ大きな溜息をつき、

「えい、有《あ》り体《てい》にいっちまえば、三吉が四六見世で見たというのが、河内屋の若旦那、清太郎だったというんだよ」

「なに」

「いや、俺にもわけが分からねえ。間違《まちげ》ぇはねえのかと念を押したが、三吉の野郎は、ありゃあたしかに清太郎さんでした、っていうんだよ」

　なるほど、甚五郎の口が重いのも納得がいく。

「河内屋」の弥兵衛が死んだ今となっては、養子で若旦那の清太郎が甚五郎の新しい旦那衆になるわけだし、めったなことを岡っ引きに告げて、もし間違いであったら、とも悩んだのであろう。

「ただな……」

甚五郎が言葉を添えた。

「桜木町から、ご町内までは、およそ二里……。もし若旦那が暮れ六ツに四六見世を出たとすりゃあ、河内屋に戻ってきた時刻と、ぴったり辻褄《つじつま》が合うんだなあ」

「ふうむ……」

喜平も思わず、大きな溜息をついた。

「まあ、長旅を終えて江戸に戻り、ちょいと油を売ってから、と考えたのかもしれねえが……」

甚五郎がいうのに、

「そうだなあ」

大いにあり得る。

たまたま、その日が、義父の葬式だったなんてことは、清太郎に分かろうはずもない。

だからといって、いわぬが花、を決め込んでいてもよいものだろうか。

甚五郎同様に、喜平もまた大いに悩んだが、やはり、はっきりさせるべきははっきりさせたがよい、と思い直した。

「で、桜木町の、なんて名の見世だい」

「三戸屋《みとや》といってたなあ。数字の三つに、戸口の戸だ」

「分かった。かしらの名も、三吉の名も出さずに尋ねてみるから、そのつもりで」

「そうしてくれるか。すまねえな」

「いや、こっちこそ、よく知らせてくれた。ところで一緒のところを見られちゃまずかろう。河内屋へは、時間を稼いでから行くから、何食わぬ顔で、先に戻っちゃどうだ」

「そうさせてもらうよ」

甚五郎が、先に朝日稲荷を出ていった。

4

清太郎は、五尺（一・五メートル《メートル》）あるかどうかの小男で、瞼が腫れ上がっているところを見ると、夕べは泣きに泣いたらしい。

喜平は気の毒に思いながらも、ひととおりの悔やみを述べたあと、

「すまねえが番頭さん、ちょいと若旦那と二人にしてくれねえか」

人払いをしてから、心を鬼にしていった。

「なあ、若旦那。昨夜、おめえさんがここに帰り着いたのは五ツ（午後八時）前だったそうだが、それにちがいはござんせんか」

「はあ、たしか、そのころでございましたよ」

「浅間の山の大変で、中山道は不通でございましょうから、甲州街道で内藤新宿から江戸に入られたんでござんしょう」

「はい」

「するってえと、前夜の宿は府中か、いやいや到着時間からすると、日野あたりでございましょうかなあ」

「どうして、そのようなことをお尋ねで……」

清太郎の顔色が白っぽくなって、目も泳いだ。

「いや、いや、試すようないい方をしてすまねえな。実はねえ、昨日の夕におめえさんを、護国寺の門前町あたりで見かけたっていう人がいるもんでね」

「え……」

清太郎の顔が、見る見るひきつり、挙げ句には――。

「わっ」

突っ伏してしまった。

「いやいや……」

　これには喜平も困惑をして、

「まあ、若旦那、顔をお上げなせえ。だから、どうこうというんじゃねえし、別に悪事を働きなさったわけでもねえ。ご帰宅の前に、ちょいと旅の垢《あか》を落としてから、と考えなさったのだろうが、ちぃとばかり間《ま》が悪うござんした、というほかはねえ。いわでものこと、とも思いやしたが、耳に入ったからには役目がら、たしかめておこうというだけのことでござんすよ。なに、ほかに洩らしたりはいたしやせん。正直なところをお話しくださいやし」

　気の毒に思いつつも、喜平は、清太郎の口をこじ開けにかかった。

　一刻ののち——。

　喜平は、苦虫を嚙みつぶしたような表情で［河内屋］を出てきた。

（なんとも、はや……）

　あきれ果てていた。

（なには、ともあれ）

　裏を取るために、喜平の足は護国寺門前町の桜木町へ向けられた。

　というのも、清太郎の告白によれば、なんと清太郎は五日も前の、七月十五日には江戸に帰り着いていたというのである。

そして桜木町の四六見世［三戸屋］に潜り込んで、四晩五日間も流連《いつづけ》をしていた、というのだ。

（あきれけえって、ものもいえねえ）

胸のうちに、ぶつぶつ文句をいいながら、喜平は和泉橋で神田川を渡り、向柳原《むこうやなぎはら》の道を西にたどりはじめた。

では、いかなる仕儀で、そのようなことになったのか。

清太郎の説明では、こうである。

清太郎にとって、今回が初めて経験をする旅であった。

板橋から戸田の渡しで荒川を越えると、江戸を出る。

まずは順調に一日目は、大宮の宿に泊まった。

大宮には、氷川《ひかわ》神社という大社がある。

せっかく旅に出たのだからと、翌日は半日をつぶして見物をしている。

これが最初のつまづきになっていた。

半日をつぶしたため、二泊目の宿は深谷《ふかや》の宿になった。

深谷といえば、中山道随一の色町である。

実は清太郎、「河内屋」の弥兵衛が見込んだだけのことはあって、これまで、なんと一度たりとも悪所《あくしょ》通いをしたことがない。

まことに信じがたい話ではあるが、二十四歳になりながら、正真正銘の童貞であったそうな。

それが、初めて出た旅の空で、いささかの解放感があったものか、ついその気になって、食売女《めしもり》に手を出した。

女郎のまことと卵の四角、あれば晦日《みそか》に月が出る。

古来からうたわれるたとえも清太郎には馬の耳に念仏、飯盛女の甘い言葉に誘われて、ついつい度を過ごしての朝寝坊、これが二度目の過ち。

ふらつく腰で、三日目の旅程ははかがいかずに、その日は高崎の宿にたどり着くのがやっとであった。

その高崎は、往古から信越と関東とを結ぶ交通の要地の城下町、藩に禁じられて飯盛女はいない。

だのに、前夜に筆下ろしを終え歓びを知った清太郎が、またもその気になって宿の者に尋ねると、烏川《からすがわ》袂にあるという岡場所を教えてくれた。

そこで清太郎、その夜はおとなしく宿に泊まったものの、翌日は教えられた岡場所まで行って、さて、どうしたものかと行ったりきたり、結局のところは色町に入って、その日一日をつぶしている。

(まあ、そのあたり……)

俺にも覚えがないではない。

ずっと若いころの、恥ずかしくもほろ苦い記憶を呼び起こして喜平は薄く笑った。

しかし——。

二度あることは三度ある、ではないが、これ清太郎の、三度目の過怠《かたい》であった。

そんなこんなで、順調に旅を続けておればよかったものを、碓氷《うすい》峠の手前の宿場町、坂本の宿に入ったのが七月六日の夕だった。

途中、どーんと耳をつんざく音が聞こえ、地面もぶるぶると震えたが、浅間山がこの四月ごろから煙を上げて、小さな噴火を繰り返していることは、旅の道道に耳にしていたから、なにほどのこともあるまいとたかをくっていた。

そして翌朝、碓氷峠を登りはじめて異変に気づいた。

軽井沢方面から、次々に旅人のみならず、土地の人々までが逃げてくる。

聞けば浅間山が大噴火を起こし、家々に赤熱《しゃくねつ》した石が降りかかっているという。

こりゃあ、いかぬ。

清太郎は坂本宿まで引き返して、しばらく様子を窺うことにした。

進むに進めず、退くにも退けず、清太郎は碓氷峠の手前で、ただおろおろと時間を費やした。

明日あたりになれば──。

お山の怒りもおさまって、木曾方面への道も通ずるのではないか。

そんな期待もあったのだが、届いてくるのは悪い報《し》らせばかり、もうこれは江戸に引き返すほかはない。

ようやっと決心がついたが、次に清太郎の内に兆《きざ》したのは、新たな憂患である。

寄り道やら女郎買いなどせずに、まっすぐに旅を続けていたら、とっくに奈良井の宿について買付も終わっていたはずなのに、思わぬ仕儀で江戸に引き返さねばならないこととなった。

では、どうしてそうなったかのいいわけが、どうにもつかない。

江戸への戻りすがらに煩悶し、だが、どうしてもうまい弁解が見つからない。

元々が小心な清太郎は、すっかり自暴自棄になった。

こうなりゃ、死んでお詫びをするほかはない。

そこまで追いつめられて、どうせ死ぬのなら、せめてこの世の名残に、遊んで遊んでからのことにしよう。

そう考えた清太郎、最初は新吉原にでも行こうかと考えたが、いやいやうっかりそんなところに行って、知った顔に出会ってはたいへんと考えた。

お店から、できるだけ離れた場所がよかろうと、駒込追分のあたりで道を西にとって、着いたところが護国寺、音羽町。

その音羽町もはずれの、桜木町に目立たない四六見世を見つけ、名を夕鶴《ゆうづる》という優しい顔だちの女郎を選び、部屋に揚がったきり、一歩も外には出ず、なんと五日も過ごしている。

そして、いよいよ路銀も切れた。

酒を飲み、たらふく食い、女を抱いて眠り、そんな五日間の自堕落な生活が、少しばかり清太郎を変えたようだ。

ふてぶてしい気分が、芽生えてきたといってもいいかもしれない。

(死んで花実が咲くものか)

戯《たわ》けを尽くしたことを咎められて、離縁をされるにしても、生きてさえいれば、また一花を咲かせることもあろう。

くそ度胸をつけて、お店《たな》に戻ってきた。

ところが店では思わぬ展開になっていて、番頭は目に涙して清太郎の無事の帰還を喜び、いつしか清太郎は奈良井から下諏訪を経由して、甲州街道を使って江戸に戻ってきたものと勘違いしている。

これ幸いと、清太郎も、それに話を合わせていたのだけれど、天網恢々疎《てんもうかいかいそ》にして漏らさず、喜平のひとことで、万事休すとばかり洗いざらいの告白をした。

だが喜平、それを鵜呑みにはできないと感じている。

［河内屋］に賊が入り、主の弥兵衛が蔵の中で刺されたのが、三日前のことで、そのとき清太郎は同じ江戸の空の下にいた。

もちろん、弥兵衛の口から賊は雲をつくような大男と聞いている。

だから、清太郎であるはずはない。

しかし……。

岡場所などというところに巣食う男たちに、まともな者はいない。

清太郎と結託して、蔵の金を狙った、という可能性も捨てきれないのだ。

喜平の頭には、どうしても解けない、ひとつの謎があぐらをかいている。

蔵の鍵の一件だ。

賊は、蔵の内扉の海老錠を壊すでもなく、するりと侵入をはたしている。

すなわち、鍵を使ったということになる。

だがその鍵は、弥兵衛が肌身離さず首からぶら下げていた。

番頭によると、予備の鍵があるはずだが、その隠し場所を知っていたのは死んだ弥兵衛だけだそうだ。

だが、もしかしたら、養子の清太郎が知っていたかもしれない。

それで喜平は、清太郎に予備の鍵のありかを尋ねたのだが、

「いえ、見当もつきません」

との答えだった。

それで清太郎にも立ち合わせ、弥兵衛の居室を探索してみたが、どこに隠したものやら、ついに発見はできなかった。

しかし、清太郎を信じきることはできない。

実のところは、予備の鍵のありかを知っており、それを清太郎が大男に教えて、という可能性だってあるのだった。

(だがなあ……)

理屈ではそうなのだが、やはり考えすぎだ、という気分のほうが喜平には強い。

盗まれた金は、大枚五十両である。

仮に清太郎が、四六見世で知り合った大男と結託したとして、そやつが正直に清太郎の元へ金を運んでくるなどは、猫に鰹《かつお》を食うな、と命じるに等しいことだ。金をつかんだら、どろんと消えるに決まっている。

そのあたりが、まことに悩ましいところであるが、一応は調べてみるほかはない、と喜平は音羽くんだりまで足を急がせていた。

5

「で、それから、どうなりました」

おてるが出した切り分け西瓜《すいか》を手に、目を輝かせながら尋ねるのは、蘭三郎が連れてきた、山崎弥太郎と名乗った若衆髷だ。

おてるの手回しがよかったのか、それとも薬研堀の大工頭領がよほどに暇だったのか、喜平の隠居所の土間に、僅かに七日ばかりで、八畳の座敷と、三畳と少しの小部屋が仕上がった。

「こりゃあ、お披露目のご落慶《らくぎよう》でもやらねばならぬかね」

「神社仏閣でもあるめえし、たかが土間を座敷に変えたくれえで、そんなたいそうなことができるもんか」

女房のおてるに、喜平がそんなことをいっていたら、お披露目の最初の客というのが、なんと蘭三郎たちであった。

事件の次の日、弥兵衛が命を落とした日に、［河内屋］の前で蘭三郎を見かけたときから、いずれ事件のことを尋ねにくるだろう、という予感はあった。

きょうは事件から十二日後、幸いなことに鈴鹿の旦那や喜平たちが心配したような、十年前の事件の尾ひれがつくこともなく、瓦版も出ずに、［河内屋］の事件のことは、早くも移り気な江戸市民からは忘れ去られたような気配すらある。

結局のところ、なんの進展もない。

手下たちが駆けずりまわっても、急に羽振りのよくなった大男の噂など、賭場からも、相撲部屋からも聞こえてはこない。

お先まっ暗であった。

鈴鹿の旦那は、それが不満で、一昨日のこと——。

「事件から十日もたって、なんの手がかりもつかめねえ、というのは我慢がならねえ。おい、帆柱の。この一件、臥煙の利助を一枚噛ませるが、文句はねえだろうな」

と、いってきた。

臥煙の利助は、この三年ばかり、手下の平次郎と二人して、二六時中、鈴鹿彦馬にくっついている岡っ引きだ。

「お好きに、しなせえ」

涼しい顔をして、喜平はそう答えたが、その実、心の嵐だ。

年寄りで、もう役立たずだといわれたようでもあり、なにより堀江町や小舟町《こぶなちょう》あたりが縄張りの利助が、こちらのほうまでしゃしゃり出てくるのが気に食わない。

おまけのことに——。

ふてくされて、ぼんやり隠居所で昼間っからちびちび酒を舐めていた喜平のところに、横山町一丁目の自身番の下番がやってきて、

「臥煙の利助親分が、もし親分さんがお手すきなら、番屋のほうへお運び願いたいと、いっております」

と呼びにきた。

「分かったよ」

用があるなら、手前《てめえ》からこい、と業腹《ごうはら》ではあったが、利助にしてみれば、ここの敷居は高かろう。

と、思い直した。

喜平は、これでも若いころには勇みの気風《きっぷ》があって、だからこそ、両国広小路の雑踏のなかで、帆柱丸などの口上《こうじょう》を大声で呼ばわって、いささかも動じなかった。

だが、五十の坂を越え、人間も丸みを帯びて人の気持ちというものを、思いやるまでになった。

思えば利助も、駆け出しの岡っ引きではない。

縄張りを狙って、などと岡っ引き仲間に取られれば、仲間内での悪評となって、今後の自分に降りかかる、ことなど百も承知のはずであった。

要は鈴鹿の旦那の短気とわがままから出たことであって、利助にすれば、かえって迷惑だと感じているにちがいない。

(ここんところは、ひとつ鷹揚に……な)

器の大きさを見せてやって損はない。

ほろ酔いのうちにも、そう心映えをつけて、喜平は自身番に入った。

すると、利助は殊勝な顔で、

「帆柱の親分、このたびは、まことにすまねえ」

深く腰を折っていう。

そう出られれば、喜平の顔も立つ。

「なんの。そう気に病むことはねえ。おめえさんの本意じゃねえことくらいは、分かっているつもりだ」

「そういって、もらえれば、あっしの気も少しは楽になる。ところで、ちょいと出ませんか」

「ん……」

番所には、町代や書き役などの顔がある。

そういった町役人の耳には入れたくないことでもあるのだろうか。

「おめえはここで待ってな」

手下の平次郎にそう声をかけて、臥煙の利助は自身番を出た。

自身番の向かいには、木戸番の小屋がある。

その小屋では木戸番が生活の足しに、駄菓子や生活の雑貨などを売っている。

子どもが数人、番太郎から肉桂《にっけい》を買っていた。

「予備の鍵が出ましたぜ」

利助が小声でいった。

「ほ……」

小さく声を出したあと、

「そいつぁ、お手柄だ。で、どこにあった」

「死んだ弥兵衛の居室でさあ。襖の上桟《うえさん》のところに隠し戸棚が細工されておりやしてね。そこに、きちんとおさまっておりやした」

「ほう。よく見つけたなあ」

「へい。ほれ明和《めいわ》九の火事で、あのあたりもみんな焼けちまったでしょう、それで、河内屋を普請した頭領のところに出向きましたら、弥兵衛の依頼で隠し戸棚をしつらえた、と分かったのでさあ」

「なるほどなあ……」

こりゃあ、まあ、利助のほうが、俺よりはるかに頭がまわるぞ、と喜平は秘かに冑《かぶと》を脱いだ。

「一応、親分の耳には入れとかなきゃあ、とお知らせする次第です」

「そりゃあ、心馳《こころば》せのほどいたみいる。しかし……」

そうなると、また、いっそうに謎は深まったなあ、と喜平は思ったものだ。

「で、それから、どうなったんですか」

山崎弥太郎が、再び喜平をせっついてきた。

喜平は蘭三郎たちに問われるままに、［河内屋］の事件の概要を頭から順を追って話して聞かせた。

順を追って話すことで、改めて整理もついた。

ただ十年前の、おしのの事件のことは除外した。

今にして思えば、昔の事件を今回の事件にからめたことで、ずいぶんと遠まわりをしたような気がする。

二つの事件は無関係。そう決めたほうがすっきりするし、よけいな枝葉がくっつかずにすむ。

蔵の鍵の謎についても話した。

蔵の内錠の鍵は二本あって、一本は殺された弥兵衛が肌身離さず首からかけており、いま一本の予備の鍵は、弥兵衛しか知らなかった隠し戸棚の中に収まっていた。

すると賊は、いったいどのような手段で蔵の内鍵を開けたのか？

また、蔵に閉じこめられたのち、どのような手段で蔵から脱出をはたしたのか？

この二つの謎を解かないかぎり、今回の事件の解決はない。

そんな説明に、蘭三郎も弥太郎も、しきりに首をひねっていた。

まあ、そのあたりでとどめておいてもよかったのだが、蘭三郎を前に、つい喜平はサービス精神を発揮した。

董狐《とうこ》の筆、というほどの、たいそうな気概があったわけではない。

あの清太郎の烏滸《おこ》の沙汰《さた》、あまりにばかばかしい所業について、喜平は鈴鹿の旦那にもだんまりを通した。

あれが明らかになっては、もう清太郎の立つ瀬はない。

周囲からあざけられ、後ろ指をさされ、下手をすれば自害されかねない。

そうなっては、寝覚めが悪い。

だからして、清太郎が碓氷峠より先には行けなかったいきさつ、さらには江戸に舞い戻ってのちに、桜木町の四六見世で四晩五日も流連をしていたこと。

それについては、たった二人の耳にしか入れていない。

そのうちの一人は、新和泉町の鳶頭《かしら》である甚五郎で、

「ま、そういう次第だから、できれば、かしらの胸ひとつに収めておいてやってくださいな」

喜平がいうと、

「ふうん。そうかい。若気の至り、というには、あまりにばかばかしい話だが、俺も男だ。決して、没分暁漢《ぼっぶんぎょうかん》ではない。しっかと胸にしまっておくよ」

と、答えてくれた。

没、分暁漢などと、えらく小難《こむつか》しい言葉を唱えたが、早い話が、分からず屋ではない、といったのである。

いま一人は、女房のおてるで、こっちはこっちで、

「やっぱし、男ってのは、ばかだねえ」

と、のたまった。

聖人君子ならぬ身の喜平は、あまりのばかばかしさを越えて、むしろ落語みたいにおかしくさえある、その清太郎の話を、実のところは、話したくて話したくてたまらないところがあった。

それで――。

「まあ、このことは、決して誰にも漏らさねえでくだせえよ」

との前置きをして、蘭三郎と弥太郎に話しはじめてしまったのだ。

かくかくしかじかで、やむなく江戸に戻った清太郎が、このままでは奈良井の江戸《えど》積塗櫛《づみ》問屋との商談もできぬままだったいいわけに困《こう》じ果てたあげく、桜木町の四六見世に潜り込み、四晩五日も女郎部屋を出なかった、と話したあたりから、山崎弥太郎が西瓜を手にしたまま、吊り目を異様に光らせはじめた。

「まあ、あっしも、それをそのまま信じるほどお人好しじゃねえから、一応は、その

三戸屋とかいう四六見世に出張りましてね。桜木町の家主《いえぬし》の平五郎《へいごろう》や、そこの奉公人、それに清太郎の相手をつとめた女郎の夕鶴からも、詳しく事情を聞いてめえりやしたよ」

「ふむ。その家主とは、どういうものだ」

興味津津といった面持ちで、弥太郎が尋ねてくる。

「早い話が、女郎屋の親父でさあ。切見世《きりみせ》というのは長屋みてえになってるんで長屋ともいいますが、四六見世は、まあ一軒家で……」

「ふむ。すると、吉原の妓楼のようなものか」

「まあ、それほど、立派なものじゃござんせんよ。表向きには、料理屋みたいな顔を見せて、昼間は六百文、夜は四百文で客を揚げるのでさあ」

「ふうむ。昼のほうが高いのか」

「まあね。というのも、浅黄裏《あさぎうら》、いやいや御屋敷さまたちには門限というのがございやしょう。となれば、夜遊びというわけにはいかない。ですから客は、夜よりも昼のほうが多うござんすから、それで夜のほうが、割安になっておりやす」

江戸勤番の侍たちを、あざけって浅黄裏、または御屋敷さま、などと呼ぶのである。

「ほほう、なるほど」

弥太郎は吊り目を丸くして、感心したような声を出した。

蘭三郎のほうはというと、興味は覚えている様子ながら、ちょいとはにかんでいるふうが、なんとも好ましい。

結局のところ、喜平が［三戸屋］を調べたところ、清太郎の話に矛盾はなく、清太郎は四六見世の部屋に揚がったきり、五日の間、一歩も外出しなかったというし、目つきの悪い用心棒めいた奉公人の内にも、雲つくような大男は一人もいなかった。

再び弥太郎が尋ねてきた。

「昼が六百文、夜が四百文、それで五日となると、ええと……、ふむ、しめて銭五貫文、ちょうど一両ほどのかかり、ということなのか」

と、弥太郎が、舌なめずりしそうな表情になっているのを見て、喜平は思わず後ろを振り向いた。

だが、おてるは奥の間に入って、いなかった。

「やっぱし、男ってのは、ばかだねえ」

おてるの評を思い出したのである。

「いやいや、それは心得ちがいというものですよ」

「そうなのか」

「はいはい。誤解をなさっておいでです。部屋に揚がったからといって、それで、ずうっと居続けるというわけにはめえりませんよ。昼が六百文、夜が四百文というのは、いわばチョンの間の値段でございまして、まあせいぜいで一刻（二時間）ばかり。これが部屋を貸し切ったり、泊まりともなると別料金でございますよ」

「ははあ……」

ついには弥太郎、手にした西瓜を盆の上に戻し、にじり寄るようにしていった。

「これは参考までに尋ねるのだが、いったい如何ほどかかるものだ」

「ははあ……」

思わず喜平は、噴き出しそうになるのをこらえた。

「いや、まあ、それは女将なり、遣り手婆との交渉次第、まあ、参考になりますかどうかは別として、揚げ代、泊まり代以外に、飲み食いや出前などもございますからな……」

いいながら喜平は懐から手控え帳を取り出し、唾してめくり、

「ふむ、清太郎が三戸屋に支払った額は、〆《しめ》て、五両と二分でございましたよ」

「ほう、すると一日に一両と少し……」

「さようです」

「ふうん。意外と安くあがるものだな」

これには、喜平のほうが驚かされた。

赤蝦夷風説之事《あかえぞふうせつのこと》

1

蘭三郎は弥太郎に引っ張られるようにして、桜木町へと向かっていた。

喜平の隠居所を出たあと、弥太郎の奢《おご》りで昼食がわりに、また天麩羅蕎麦を食ったのちだ。

「我らが、三戸屋とやらを検分したからというて、どうなるものであるめぇに」

神田佐久間町の火除広道《ひよけひろみち》を西に向かいながら、蘭三郎は、まだぶつぶつとぼやいた。

岡っ引きの喜平から「河内屋」の事件の仔細を聞き出したあと、蕎麦屋で弥太郎がどうしても「三戸屋」という四六見世を見たいといいだした。

「見たからって、どうということもあるめぇに」

「いや、俺はそうは思わぬ。河内屋の主が蔵で刺されたとき、同じ江戸に、養子の清太郎がいた。それも悪所《あくしょ》で、五両と二分もの金を使っている。俺の見るところ、遊ぶ金も尽き果てて、こっそり金を盗みに自分の店に忍び込み、そこを主に見つかった、という寸法にちがいない」

と、弥太郎はいう。

「喜平おじさんの調べに、そんな見過ごしがあるもんか」

「いやいや、そうともかぎらんぞ。男と女が四晩五日も同じ部屋で、酒を飲んでは、やっては眠り、また起きて、飯を食らって、またやって、という具合だと、女のほうだって、うたた寝もすりゃあ、居眠りもする。そんな隙をついて、部屋から忍び出て、蔵から金を盗みとり、またこっそりと部屋へ戻る。きっと清太郎は、合い鍵の隠し場所を知っていたんだ。それしかない」

そうそう、うまくいくもんかい、と蘭三郎は思うのだが、まあ、弥太郎の言にも、まるで可能性がないではない。

はたして［三戸屋］という四六見世が、揚がった部屋から、誰にも気づかれずに外部と出入りができるような構造かどうか、それを検分したい、と弥太郎はいうのであった。

しかし、それは弥太郎の口実で、実のところは単なる好奇心から、悪所と呼ばれるところを覗き見たいだけではないか、と蘭三郎には思えるのだ。

実は、そのような好奇心は蘭三郎にもあって、だから、ぶつぶつはいいながら、弥太郎につきあう気分になっていた。

ほかにも、弥太郎はこんなことをいった。

「実は、護国寺門前の音羽町には、俺もよくよく出入りしている。それゆえ桜木町のあたりも見知っているが、鷹の目にも見落とし、といおうか、あそこにそのような悪所があったとは、これまで、とんと気づかなかった。そいつが悔しい」

「ほう、音羽町によく行くとは……なにかあるのか」

「おう、それよ。まあ、ついてくれれば分かる」

いって、にやりと笑ったのであった。

やはり気になる。

向こうから、蘭三郎と同じくらいの年ごろの男児が、赤く色づいた鬼灯《ほおずき》を藁苞《わらづと》にいっぱい串刺しにしたのを担いでやってくる。

「丹波《たんば》ほおずき、椎《しい》の実が、椎の実が一袋四文、木でも金でも耳掻きが一文」

と、売り声を上げていた。

ほおずき売りで、ついでに椎の実や耳掻きも売っているのだ。

ほおずき売りの少年とすれ違ったところで、弥太郎が振り返りながらいった。

「あの、担いでいる竹箒《たけぼうき》みたいなのを弁慶《べんけい》というが、知っているか」

「いや、知らねぇ」

「やはりな」

弥太郎はほくそ笑み、

「弁慶が、七つ道具を背負っていたのに似ておるから、そういうのだ」

「どうせ、俺は世間知らずだ」

機先を制して答えておいた。

「ふん。ずいぶん、自分が見えてきたようだ。感心、感心」

僅かに一歳、年上のくせに、弥太郎は先輩風を吹かした。

やがて道は上り坂になる。昌平坂《しょうへいざか》だ。

右手には高い石垣が積まれ、その上には幕府の学問所がある。

「どうせ、おまえなら、儒学とか漢籍なんかを囓《かじ》っておるんだろうな」

「悪いか」

「師は誰だ」

「河井東山先生だ」

「知らんな」

「なにか、文句でもありそうだな」

「おいおい、喧嘩を売ったつもりはないぞ」

「だが、ことばの端々に揶揄《からかい》の匂いが漂う」

「いや。すまぬ、すまぬ、勘弁しろ」

またも弥太郎の口癖だ。

「ただなあ、儒学などというのは、もはや時代遅れだと俺は思う。第一、世のなかのために、なんの役にも立ちはせぬ」

「ふむ……」

それは蘭三郎も、なんとなく感じている。

亀島河岸の河井東山の元に通いはじめて二年あまり、少しも楽しいと感じたことはなかった。

逆に尋ねてみた。

「じゃあ、おまえは、誰から、なにを学んでおる」

「ふむ」

蘭三郎の横で、弥太郎は少し首を傾げて、

「いろいろとな……」

といったあと、

「ときに、おまえは工藤平助《くどうへいすけ》という名を聞いたことはあるか」

「うん、名だけなら。たしか仙台藩の藩医であったな」

いくら世間知らずな蘭三郎であっても、その名くらいは知っている。

医学のみならず、甘藷《かんしょ》先生と呼ばれた青木昆陽《あおきこんよう》に学び、さらには江戸蘭学社中の杉《すぎ》田玄白《たげんぱく》やら、前野良沢《まえのりょうたく》ほかから蘭学も学んだ大学者として知られている。

それも堅苦しい学者ではない。

仙台藩主から還俗《げんぞく》を許されて江戸に住まい、町医者として名声を高め、多くの大名家に出入りして財を蓄えた。

築地《つきじ》の地に二階建ての豪邸を建て、庭には珍種の桜を集め、二階には椹《さわら》の厚板の湯殿を据えて客人をもてなす。

その客人というのが多士済々、文人墨客や十八大通、歌舞伎役者に侠客、芸者や幇《ほう》間《かん》までが出入りする。

おまけに器用な人で、自ら料理も作って振る舞って、それは〈平助料理〉と呼ばれて好評であるらしい。

「なにしろな……」

と、これは父の彦馬から蘭三郎は聞いた。

「おびただしい数の客があるゆえ、豆腐だけでも年に二十両を費やすという。こりゃ築地では、本願寺と工藤の屋敷だけということじゃ」

それほどに儲かる医者なのか、と問うた蘭三郎に、

「さにあらず」

と父がいうには、近ごろはあまり医業はおこなわず、屋敷内に開いた〈晩功堂《ばんこうどう》〉なる私塾に全国から人が集まり、また長崎の通詞《つうじ》たちとも交流があるので、西洋の文物などが手に入る。

それらの品を蘭癖《らんぺき》大名や富裕の商人たちに売って、金を稼いでいるという。

「それじゃあ、ただの商売人ではないですか」

「いやいや、それだけの人ではないぞ。つい先年には、松前藩と商人との間に難解なる訴訟沙汰が起こり、その仲裁にもあたったお人だ。とにかく、あれほど西洋事情に明るいお人も珍しいので、幕府《おかみ》では、ぜひにも幕臣として取り立てたいと願ったそうじゃが、いえ、それでは伊達《だて》家への面目が立ちませぬ、と断わられたそうじゃ」

めったには仕事の話をしない父が、蘭三郎が地蔵橋の屋敷に滞在していた短い期間に、そんな話を聞かせてくれたので、なおのこと蘭三郎の印象に残っている。

「で、その工藤平助が、どうかしたのか」

と、蘭三郎は弥太郎に問うた。

「うむ。この春に、二巻からなる赤蝦夷風説之事《あかえぞふうせつのこと》、という書物を書き上げたそうだ」

「あかえぞ……？」

蘭三郎は、首を傾げた。

2

「蝦夷《えぞ》というと、北のはずれの渡島国《おしまのくに》、えみしという蛮人が住むところで、松前藩が支配しておるところだろう」

「よく分かっておるではないか」

「そのくらいのこと、あたりきだ」

実のところは、工藤平助についてのさ、父からの受け売りだったが、蘭三郎は胸を張った。

だが、それ以上は知らない。

「いや、それはお見それした」

「しかし、赤蝦夷なぞというのは、聞いたことがない」

「そうだろう、まず、日本国じゅうで、知っておる者など数えるほどしかない」

「そうなのか」

「そうなのだ。おまえがいう北の蛮人は、えみし、とか、えびす、とか呼ばれておるが、いろんな部族に分かれておるそうな。昔から我が朝廷に入貢をしてきた熟蝦夷《にきえみし》もあれば、敵対をする麁蝦夷《あらえみし》など、さまざまでな。しかも、それらのえみしの住んでおる土地は、まさに北の大地と呼ぶにふさわしく、関八州にも相当するほど広大で、松前の城下など、まるで芥子《けし》粒のようなものでしかない、ということだ」

「まことか」

「ふむ、俺が見たわけではないが、そういう話だ。それだけではないぞ。その大地の先には、蝦夷ヶ千島《ちしま》と呼ばれる、大小三十ばかりの島が連なっておって、これももちろん蝦夷地ゆえ、松前藩の支配下にある」

「ほう」

「その、どん詰まりの地を、赤蝦夷というそうだ」

「ほほう」

話に夢中になっているうちに、はやお茶の水で、前方にはお茶の水河岸から、南のさいかち坂へ向けて、神田川を越えて渡る上水樋が見えた。

その下を、五位鷺《ごいさぎ》が数羽、優雅に白い翅を広げて飛翔していた。

（こやつ、口汚いだけの男と思うたが……）

ちらりと横目で見て、蘭三郎は山崎弥太郎を少しばかり見直している。

「ま、その赤蝦夷あたりまでが、我が国土のはずなのだが、あまりの北の果てゆえ、実際のところは松前藩の手も足も及ばぬところであるらしい」

「ふうん」

雲をつかむような話であった。

「ところで」

ふいに弥太郎の語調が上がった。

「おまえ、オロシャ、という国があるのを聞いたことはあるか」

「オロシャ？　なんだ、それは……」

「知らぬだろうなあ」

「知らぬ」

「知らぬで当然、幕閣のお偉いさんですら、知らぬ話だ」

「さて、そこで、工藤平助先生の出番だ」

「…………？」

また一段、弥太郎の語調が上がる。おまけに先生、とまで、くっついた。

「知っておるか、どうかは知らぬが、工藤先生というのは西洋事情に明るい」

「それくらいは聞き及んでおる。長崎のオランダ通詞たちとも親しく、異国の文物なども手に入るのだろう」

「知っておったか。それは重畳《ちょうじょう》」

「えい、じれったいやつだ。オロシャの話はどうなった」

「ふむ、それだ」

どうも山崎弥太郎という男、多弁なくせに、まわりくどい。

「とにかくだ。長崎から伝わった話では、清国《しんこく》のさらに奥地に、清国にも匹敵しようかという大国があって、その国の名がオロシャというのだそうだ」

「ふうん」

「オロシャ国は、韃靼国《だったんこく》などをたいらげて、さらに東へ東へと領土を広げ、ついに赤蝦夷にまでたどり着いたばかりか、すでに支配下に置いているそうだ」

「へ……」

「その赤蝦夷を、きゃつらはカムサスカ、と呼んでいるという」

「ほ……」

少し、補足をしておきたい。

この弥太郎の話には、いくつかの誤謬《ごびゅう》がある。

というより、海外に向けた窓口が長崎だけの鎖国下にあった、当時の日本の状況では当然というべきか。

オロシャとは、もちろんロマノフ朝のロシア帝国のことで、韃靼国とは、現代のタタールスタン共和国あたりと思われるが、いかに西洋通の工藤平助であっても、この程度の情報収集が精一杯であったと思われる。

実際のところロシアは、すでに百年もの昔から不凍港を得るため、黒竜江《こくりゅうこう》流域へ進出して清国と対立をしていた。

そして、四十年にわたる戦争の末に、清国と李氏《りし》朝鮮の連合軍に敗れて、ネルチンスク条約というものを結んだ。

それで進路を、東に、あるいは西へと求めている。

正確には東北に、ウラル山脈を越えたのちは、シベリア大陸を制覇して、クリル族

（千島アイヌ）との戦いに勝利して、カムチャツカ半島を支配していた。

弥太郎のいったカムサスカとは、このカムチャツカのことであるが、ロシアのカムチャツカ占領は一七〇六年のことだから、蘭三郎たちが話している時点まで、すでに七十七年もの歳月が流れていた。

その七十七年の間に、ロシアは日本との交易を求めて、どんどんと蝦夷ヶ千島、すなわち千島列島を南下して択捉島《えとろふとう》あたりまで姿を現わしている。

では、そのことに松前藩が気づかなかったのかというと、そんなはずはない。

カムチャツカを侵略したロシア人は、赤いラシャ服の軍服を着ていた。

それでアイヌたちは、ロシア人のことを〈赤い隣国人〉を意味する〈フレーシア〉と呼んだ。

これを松前藩が直訳して、ロシア人を赤人《せきじん》と呼び、カムチャツカのことを赤蝦夷と呼んだのである。

その時点ですでに松前藩は、赤人はペテルホール（ペテルブルグ）を首都とするヨーロッパの大国で、カムサスカ（カムチャツカ）は、その属国である、とかなり正確な情報を有していた。

ただ、そのことを幕府には報告をしていなかった。

なぜか。

単純明快にいえば、赤人との交易による莫大な利益のせいであろう。

さて、一方――。

ロシア帝国の覇権主義は、西方にも及んでポーランド・ロシア戦争が起こり、それに他国も介入した。

それで当時のヨーロッパでは、プロイセン、ロシア、オーストリアの三国においてポーランドを分割した。

ここにおいて、はじめてロシアという国が西洋にも認識されて、文献にも現われるようになった。

そんな文献や噂が長崎のオランダ商館に伝わり、オランダ通詞を介して、江戸の工藤平助の耳にも入った、という、まことに迂遠《うえん》な道のりをたどったのである。

では、幕府が、まったくもって存知《ぞんじ》もよらず、であったかというと、それがそうでもない。

実は、ポーランドの分割に抵抗するポーランド革命軍に身を投じた、ベニョフスキーというハンガリー人がいる。

現代にも、法螺《ほら》吹き男爵として伝わる人物だ。

彼はロシア軍の捕虜となって、カムチャツカに流刑となったが、同志とともに船を奪って脱出に成功した。

それが明和八年（一七七一）の四月、六月には阿波に寄港し、土佐、奄美大島を経由してマカオにたどり着く。

その間に、寄港した土佐や、奄美大島から長崎のオランダ商館長宛に、ロシアが千島列島を攻撃しようとしている、との警告書を発している。

その警告は、翌安永元年（一七七二）に参府した、オランダ商館長のフェイトから幕閣に、〈阿蘭陀《オランダ》風説書《ふうせつがき》〉というかたちで伝えられた。

このときの老中首座は松平武元《まつだいらたけちか》、そのころ能吏で知られる田沼意次は、ようやく老中格から加判《かはん》に列したばかりのころだったのが悔やまれる。

というのも、ベニョフスキーの名が、ハンベンゴロウと伝わった、この警告書は完全に無視されたのである。

ベニョフスキーが、ハンベンゴロウと我が国に伝わったのは、単に国による読みのちがいである。

たとえば英語読みのジョンはフランス語ではジャンとなり、ドイツ語でヨハンとなって、ロシア語だとイワンとなる。

ただ、この警告書は嘘で満ちていた。

ベニョフスキーの法螺は、ロシア憎しの思いから、ロシアが純粋に日本との交易を望んでいたことを曲げて、攻撃を仕掛けようとしている、との警告を発したことだ。

これが、のちのち日露の摩擦の原因ともなるのであるが、それはまだまだ先の話となろう。

ともあれ、工藤平助が著わしたのは、松前周辺の人物や蘭学者、オランダ通詞などからの伝聞をもとに、蝦夷地周辺の事情を説いた『赤蝦夷風説之事』が上巻を構成している。

そして下巻の『赤蝦夷風説考』は、オランダ語に訳されたドイツ人、ヨハン・ヒュプナー著の『地理全誌』の内の〈ロシア誌〉を参考にして著わされたロシア研究の書であって、なんら政治的な意図を持ったものではなかったのである。

3

「……というのを知っておるか」

水道橋を過ぎ、右手には十万坪をゆうに超える、水戸徳川家の上屋敷の豪壮な海鼠《なまこ》壁《かべ》の塀が続く。

「ん……、なんというた」

水戸邸を突っ切る大下水が、ちょうど神田川へ注ぐあたりの水音で、弥太郎の声が途切れて、よく聞き取れなかった。

「蝦夷錦《えぞにしき》だ」

弥太郎は、怒鳴るようにいう。

「おう、あれは、まことに玄妙精緻なものだなあ。それに、文様がまた凝っておる」

蘭三郎は答えた。

「見たことがあるのか」

「ある」

「蝦夷錦は、たいがい坊主の袈裟や、女物の帯に作り替えられておるが、俺がいうのは、原型のほうだぞ」

「原型、というと……」

「ふむ。なんというか、筒袖のな。帯の不要な胴着のような着衣だ」

「それに、まちがいはないぞ」

「どこで見た」

「俺の住まいは、霊岸島の長崎町だ。ご町内には何軒も唐物屋《とうぶつや》があって、そのうちの海老屋《えびや》の結界の先に、麗々しく飾られておる」

　蘭三郎が答えると、

「ほう、そうなのか。海老屋だな。一度、見物に行こう」

　と、弥太郎はいう。

「なんだ。おまえ、知りもせずにいうたのか」

「見たのは画だけだ。ありゃあな、まだ御神君の家康さまが天下を取る以前、松前家の何代目かの、ナントカいう者が、大坂城で、まことに鮮やかな錦の胴着姿で現われたそうな。そこで同席をしていた家康さまが、その錦のことを尋ねると、そのナントカが、これは蝦夷にて産する蝦夷錦と申すもの、お気に召しましたらならどうぞ、と家康さまに献上をした。以来、松前家から将軍家に献上が続いておるほどのものだから、そうそう目にはできぬ代物《しろもの》なのだ」

　由来に詳しい者が現物を知らず、説明を受けるほうが現物を知っている。

　二人合わせて、一人前のような会話であった。

「ほう。そのように貴重なものなのか。しかし……」

　蘭三郎は、首を傾げた。

「あのような精緻な織物は、京にても作れるものではなさそうだ。それを産するとは、北の蛮族、というて馬鹿にはできんな」

「ハハハ……。そこんところがのう。ちぃとばかり、ちがうのよ」

「なに、そこんところとは、どこんところだ」

「実はなあ、蝦夷錦などとは真っ赤な偽り、実際のところは、ありゃあ、清国の王朝で用いられる官服だというぞ」

「なに、そりゃ、まことか」

「それも古着になったのが、まわりまわって交易で、蝦夷の地に入ってくる、というのが実態であるらしい」

「…………」

にわかには信じられない話だが、蘭三郎は尋ねた。

「それも、工藤先生の話か」

「いや、そっちは別口だ」

「別口というと……？」

「ふむ、それが音羽町に繋がる、というわけだ。まあ、着いての楽しみということにしておこう」

「そうかい。えらく、気を持たせるじゃねえか」

　蘭三郎は、少しばかり不快になった。

　さて、蝦夷錦が、清国王朝の官服といった弥太郎の話に嘘はない。

　ただ、それより詳しい事情を知らぬだけのことだ。

　中国では明朝《みん》が滅びて清朝の時代になっているが、問題の錦は長江の下流、蘇州《そしゅう》の地で織られる絹製品で、明朝や清朝の貴人や大官だけが着用を許されていた。

　着古され商人に払い下げられた、この中国の錦は、もちろん庶民の着用は許されないから清国を出て、はるか僻遠の地の中国東北の地へと運ばれて、ツングース系の民族に売られた。

　それがさらに、黒竜江の下流に運ばれて、〈鉄の商人〉と呼ばれる樺太《からふと》アイヌの、鍋、釜、斧や小刀と交換される。

　これを山靼《さんたん》（山丹）交易と呼び、ゆえに蝦夷錦のことを山丹服とも呼ぶが、これはもう少し時代が下り、蝦夷錦の実体が明らかになったのちのことである。

　ところで、鉄の商人、とはいいながら、アイヌに製鉄の技術はない。

　では、どういうことかというと、樺太アイヌは、松前藩から鉄器を入手できる蝦夷の宗谷《そうや》アイヌと交易をしている。

そのような、まことに奇跡的な経路を経て、中国の錦は松前藩の手に入り、蝦夷錦と名を変えた、というのが実情であった。

弥太郎のもってまわった秘密主義に機嫌を損ない、無言のまま、蘭三郎の足は、どんどんと速まった。

4

小石川御門外の市兵衛河岸《いちべえがし》を過ぎ、江戸川が神田川に注ぎ込むところに船河原橋《ふながわらばし》というのが架かっている。

この橋は、江戸川が神田川に落ちる水音がやかましいので、里俗に〈どんどん〉と呼ばれるところだ。

「おい、なあ」

その橋も、どんどんと押し渡ろうとする蘭三郎の袖を弥太郎は引っ張り、

「待て、待て。橋を渡れば遠まわりになる。桜木町はこっちだ」

いって、橋の手前を江戸川沿いに、右へと曲がった。

蘭三郎にすれば、このあたりまで足を伸ばすのは初めてのことなのだが——。

「………」

むっと、唇を引き結んだままだ。

それでようやく蘭三郎の不機嫌を悟ったか、弥太郎は、すまぬ、すまぬの口癖を出して、

「実はなあ、護国寺門前の音羽一丁目に音羽塾というのがあるのだ」

「………」

「で、俺は、十日に一度ばかりだが、その塾に通っておる」

「………」

なおも蘭三郎が押し黙っていると、

「えい。いいかげんに機嫌を直せ。よし、こうなりゃ奥の手を出そう。これまで内緒にしておったが、その音羽塾には青島先生も通っておられる」

「え！」

思わず、蘭三郎の足は止まった。

「竹中道場の、あの青島先生か」

「さよう。青島俊蔵、その人だ」

竹中道場の四天王、際だった投げ技を使って、蘭三郎にとっては憧れの師範代であ

った。

「どうして、それを先にいわねえ」

文句をつけた蘭三郎に、弥太郎はふふんと笑い、

「それゆえ、着いてのお楽しみというたではないか。おまえの驚く顔を見るのを楽しみにしておったに、これでは、俺の謀事《はかりごと》が、ぶち壊しではないか」

ぶつぶつと愚痴た。

「すると、桜木町の四六見世の検分というのは、口実か」

「それはそれ、これはこれだ。桜木町へ行ったついでに、音羽塾のことを教えてやろうと思っていたのだ」

「それにしても、その音羽塾というのは、いったいどのような塾だ。いくら十日に一度ほどとはいえ、二里の道を通うほど立派な塾なのか」

「もちろん、そうだ。師は本多利明《ほんだとしあき》というて、越後の出だ。十八歳で江戸に出て、まずは天文学を修め、次に関流《せき》の和算《わさん》を修めた」

「ほほう。天文学をか」

「そうだ。おまえ、天文学に興味があるのだろう」

「む……」

なぜ、それを知っているのか、と蘭三郎は訝かしんだ。弥太郎に話した覚えはない。

「俺が竹中道場に入門したあと、坂崎善太郎《さかざきぜんたろう》というのが入門したろう。おまえとあいつが話しているのを聞いて、ピンときたのよ」

「油断ならんやつだ」

昨年のことだが、それまで牛込袋町《うしごめふくろまち》にあった天文観測所が浅草に移されて、新たに浅草天文台と呼ばれるようになった。

星を眺めるのが好きな蘭三郎には、まことに心惹かれる施設であったのだ。

そんな折、今年になって竹中道場に入門してきた坂崎善太郎というのが、天文方改役《あらためやく》の子弟と知った蘭三郎は、天文台の見学ができぬかと頼んだのだが、見事に断わられている。

そのときの会話を、弥太郎は盗み聞いていたらしい。

「おまえが天文に興味を持っているようなので、いつか機会があれば、音羽塾のことを教えてやろうと思っていたのだが、道場帰りに誘っても、おまえは鼻も引っかけぬ。それで、つい、延び延びになっていた、という次第だ」

「そうなのか。いや、それはすまぬことをした」

道場帰りの折折に、弥太郎がさかんに蘭三郎に声をかけてきていたのを、母の教えゆえ寄り道はできぬ、と断わり続けていたのは蘭三郎のほうであった。

「いや、まあ、俺の誘い方にも、問題があったのだろう。ちょいと茶屋へ寄ろうとか、鰻を食おうとか、肝心なことを先にいえばよかったのだ」

蘭三郎が素直に謝ると、弥太郎も、珍しくまともなことをいう

弥太郎の話によると、本多利明の音羽塾は天文暦学と算学《さんがく》を教えるだけでなく、諸国の物産を調査したり、経世済民《けいせいさいみん》の法を説いたりしているという。

「経世済民なあ」

そのことばについては、河井東山から教わったことがある。

世のなかを治め、民の苦しみを救うことだ。

弥太郎は続ける。

「そういうと、なにやらむずかしげな人物と思うだろうが、先生はいたって洒脱闊達《しゃだつかったつ》なお人柄でな。くる者は拒まず、去る者は追わずで飄々《ひょうひょう》としておられる。それで近隣にても、音羽先生と呼ばれて慕われているお人だ」

「ふうん。すると、先ほどの蝦夷錦というのが、実は清国王朝の官服だというのも、その音羽先生からの話か」

「そうだ。いや、それだけの話ではないのだ。実は、音羽先生のところに、先ほどに

いうた、工藤先生の赤蝦夷風説の写本がまわってきておってな。はて……、どのような順序で話せばいいものか……、話はどんどんと広がっておってなあ。うむ、そうだ。お人柄のこともあり、音羽先生の元には、全国各地から、いろんな人物が集まってくる」

というところをみると、音羽先生こと本多利明は、工藤平助と似ているようでもある。

弥太郎が続けた。

「上方《かみがた》をまわってきた客人が、江戸では、めったに見かけぬ蝦夷錦だが、大坂では唐物屋ばかりか、着物屋でも、古着屋でも、どっさりと見かける、という話をする。すると、別の客人が、それは、大坂の商人が船で直接に蝦夷まで乗り込み、昆布や鮭《しゃけ》や鰊《にしん》などの特産品や、ラッコや羆《ひぐま》の毛皮や蝦夷錦などを、ごっそり買い込んでくるからでしょう、という、といった具合でな。すると、それなら抜け荷ではないか、という人もおる」

「待て、待て。そりゃ、おかしかろう。蝦夷は、我が国土であるから、大坂から蝦夷に買いつけにいって、それを抜け荷とはいわんだろう」

「さあ、そこだ。そんなところに松前からの客人がいう。もともと蝦夷地には、松前以外の者は立ち入りできない掟であるが、取締りの手を逃れて直接に、蝦夷ヶ千島などに船を乗りつけ、えみしから直接に買いつけているようだ。これは、明らかに直走《じかばし》り禁止という禁制を犯している、といった具合に話は進む」

「ふうむ」

これまで、想像すらしたことのない話題が、弥太郎のいう音羽塾では飛び交っているようだ。

しかも、談論風発、といった感もある。

その生き生きとした様子までが蘭三郎には感じられ、いつしかわくわくした気分にさえなっている。

これこそ、生きた学問というものではないか。

蘭三郎には、それまで河井東山のもとでおこなわれている、素読《そどく》に復読、暗誦に講義、そして輪講、といった学問など、まさに蜘蛛の巣の張ったようなものに思われた。

「束脩《そくしゅう》は、如何ほどだ」

入学金のことである。

「そんなものはいらん」

「なに」

「いったであろう。くる者は拒まず、去る者は追わずの私塾である。といっても、まあ音羽先生も食わねばならん。これこれと月謝の額が決まっておるわけではないが、俺など、まだ前髪もとれていない小童《こわっぱ》だからな。月に一緡《ひとさし》ほどを置いてくる」

「波銭でか」

「馬鹿をいえ、銭一緡だ」

波銭なら四百文だが、銭だと百文。

「そんなに安くていいのか」

「最初のとき、一両を出したら突き返された」

「ふうむ……」

「お、まもなくだぞ」

蘭三郎としては、まだまだ尋ねたいことがあったのだが、川沿いに、ずうっと続いてきた武家地はまもなく終わり、行く手に町人地が見えてきた。

川沿いの道は町に突きあたって右に曲がり、最初の角を左に曲がった。

上り坂の両側町である。

「このあたりが、桜木町か」

「いや、もう少し先だ。ここらは小日向水道町《こひなたすいどうちょう》という」

神田上水の管理をする水番所があるところから、その名がある。

少し鄙《ひな》びてはいるが、乾物屋にせんべい屋や料理屋もあって、人通りも多い。

〈秘法　紫金錠《しきんじょう》　一包百銅〉とある麗々しい薬屋の軒看板を見上げて、

——ふむ、丸薬を一錠、二錠、と呼ぶが、なら、錠前の錠の字と、どのような繋がりが……？

蘭三郎は、そんなことをふと思い、改めてのように、［河内屋］の蔵の錠の謎のことを思い出した。

5

九丁目橋というので神田上水を渡ると、北へまっすぐ護国寺領の門前町広道が続いている。

護国寺というのは、御府内八十八ヶ所の八十七番札所で、五代将軍綱吉《つなよし》の生母、お玉《たま》の方《かた》の祈禱所として天和元年（一六八一）に綱吉が建立した。

思いのほかの人出であった。

「さてと……」

橋を渡り終えたところで弥太郎は立ち止まり、右を見、次に左を見ながらいった。

「この右も、左も桜木町なんだが……」

左の街角の茶屋をさし、

「ちょいと、そこの水茶屋で休んでからにしよう」

初秋とはいえ七月の末は、まだまだ暑い。

二里の道をきて、汗ばんでもいた蘭三郎は弥太郎の誘いに素直に従った。

「冷えた麦湯を頼む」

煙草盆の置かれた床几《しょうぎ》に二人して腰かけ、やたらに幅広く長い赤前垂れをつけた茶汲女《ちゃくみおんな》に、弥太郎は馴れた様子で注文を出した。

それからいう。

「護国寺領三ヶ町といって、音羽町に、この桜木町、それに青柳町《あおやぎちょう》というのがあるが、音羽も桜木も青柳も、みんな江戸城大奥の、奥女中の名からついておる。というより、もとは奥女中の拝領地だったところだ」

「ふうん」

「ところで、もし、おまえが音羽塾に出入りするつもりになったなら、ひとこと注意をしておきたいことがある」

「なんだ」

「ほかでもない、この茶屋の裏手のほうに裏通りがあるが、そこには足を踏み入れぬがよい」

「なぜだ」

「うん、音羽町の八丁目から六丁目にかけて、〈腕ずく長屋〉と呼ばれる岡場所があるからだ。うっかり入り込もうものなら、それこそ、その気がない者まで、腕ずくで連れ込まれるか、金がないと断われば、平気で懐に手を突っ込んでくるようなところだ」

「へえ」

「ま、気をつけることだ」

弥太郎は、えらそうにいった。

「それはそうと……」

弥太郎が再び音羽塾のことを口にしたので、蘭三郎が尋ねたいことを口に出そうとしたとき、茶汲女が麦湯を運んできた。

それへ、いきなり、

「ちと尋ねるが、この桜木町に、三戸屋という四六見世があるそうだが、どこだ?」

声も憚らず、弥太郎が尋ねたものだから、蘭三郎は首をすくめた。

「ま……！」

年のころなら十七、八の、やたらに大きな櫛を島田髷に挿した茶汲女は、蘭三郎を見つめながら、にっこりと笑い、

「そのおつもりなら、どうぞ、奥へ通りなさいな。ちゃんと部屋もございますよ」

すると弥太郎、

「いやいや、そのつもりなど毛頭ない。三戸屋に用があるゆえ、尋ねておるのだ」

「あれ、そうなのかい。そりゃあ、めった口惜しい。ほれ、向かい側の南角に番屋があるだろう。三戸屋なら、あそこから入ってまっすぐの下水《げすい》ぎわだよ」

「わかった」

答えた弥太郎に、茶汲女は色っぽい仕種で腰をかがめ、もう一度、蘭三郎に笑顔を振りまいてから奥へ消えた。

「なんと、ここは色茶屋であったか。これまで、とんと気づかなかった」

苦笑する弥太郎に、蘭三郎は先ほど口にしかけたことを尋ねた。

「ところで、おまえは、どのようないきさつで、音羽塾に通うようになったんだい。もしや青島先生から勧められたのか」

「いや、そうではない。音羽塾でたまたま青島先生に会うて、その青島先生から竹中道場を勧められた、というのが順序だ」

「………」

「ありていにいえばだな……」

麦湯を口に運んだあと、山崎弥太郎は少し早口になって、

「俺に音羽塾を勧めたのは、実の父だ」

「実の父……」

「うむ。わざわざ実の父というのもおかしなものだが、早い話が、旗本でな。用人の娘に手を出して、俺が生まれた。ところがその旗本の室《しつ》（妻）というのが悋気《りんき》持ちで、俺は生まれてすぐに、その用人のところへ養子に出された。つまりは祖父が養父というわけだ。山崎というのは、そちらの名よ」

「そう、なのか……」

悪いことを尋ねた……と、蘭三郎は思った。

だが、その境遇は自分も似たようなものだ、とも思う。

ちがっているのは、弥太郎のほうは養子に出されたところだ。

それと――。

蘭三郎の父は、しがない町方同心であるが、弥太郎のほうは旗本だという。

それも、大身の旗本ではないか、と蘭三郎は想像する。

あの新和泉町橘稲荷横の家に、若党や腰元までがいることからも、そう思える。

また、養子というのは形式的なものではないのか、という気もした。

でなければ、実父が弥太郎に音羽塾を勧めたりはしないであろう、と思ったのである。

しかし——。

弥太郎の母が、山崎なにがしという旗本家用人の娘で、弥太郎が、そのなにがしの養子であるとすると……。

はて、弥太郎と母の関係は、母子でありながら、姉弟という関係にもなるではないか。

これは、そうとうに、ややこしいぞ、などと蘭三郎が考えていると、

「さて、行くか」

残りの麦湯を飲み干して、弥太郎はいった。

音羽先生

1

参道を横切り、桜木町の自身番と木戸番の間を東に入るとき、木戸番の爺さんが目を剝いた。

おそらく、前髪もとれない二人を見たせいだ。

とんだ若造だ、とでも思ったにちがいない。

なるほど行く手には、地回りとおぼしきくずれた服装の男たちが鋭い視線を送ってくるし、派手な浴衣の女が、客らしい男にぶら下がるようにして、表店《おもてだな》に入っていく。

また一人、前をぶらぶら歩いていた紺羽織の侍が、表店の暖簾《のれん》をくぐった。

「このあたり、ぜんぶがぜんぶ、訳ありのようだな」

「ふむ」

弥太郎が小声でいうのに、蘭三郎もうなずいた。

表店には揃って〈田中八幡社中〉と書かれた提灯が掲げられ、屋号と思われる文字が入っているが、その実、なにを商っているとも知れない風情《ふぜい》で、入口には長暖簾が店奥の様子を隠している。

折も折、天水桶の陰に隠れるように立っていた女が、

「ちっ、ちっ」

と、小さく舌を鳴らしてきた。

蘭三郎が見ると、浴衣をしどけなく着た白首女が、白粉《おしろい》だらけの手で手招きをしながら、にっと笑った。

思わず足が止まりかかったが、弥太郎は素知らぬふりで先に進む。

小走りに追いついた蘭三郎に、弥太郎がいう。

「あれは鼠鳴《ねずな》きといって、ああやって客を引くんだ」

「えらく、詳しいんだな」

「耳学問というやつだ」

そうこうするうちに、表店と表店の間に路地木戸があり、そこには男たちが数人た

むろしていた。

左手に中路地が伸びていく、その木戸のところで、弥太郎は立ち止まり奥を眺めた。

蘭三郎も足を止めると、ドブ臭い匂いが鼻をつく。

しゃがんでいた男の一人が立ち上がり、楊枝をくわえたままいった。

「筆下ろしなら、さっさと入《へえ》んな」

いったとたんに楊枝が落ちて、思わず蘭三郎が笑うと、男は肩をいからせた。

すかさず弥太郎が、尋ねた。

「これが、長屋ともいう切見世か」

さっそく喜平から仕入れた知識をひけらかしている。

木戸の奥に続く中路地の両側は、まさに長屋が建ち並んでいるのだが、その間口というのが、きわめて狭い。

普通なら九尺（二・七メートル）の間口が、その半分ほどしかない。

おそらく中は、布団一枚がやっとの広さであろう。

こういった最下等の女郎屋を、切見世とか局見世《つぼねみせ》とか鉄砲見世とも呼び、単に長屋ともいったのである。

「けっ！　小僧、素見《すけん》ぞめき（ひやかし）は、ここいらじゃ御法度《ごはっと》でぃ」

腕をまくり上げるのに弥太郎は、

「それは知らなかった。じゃあ、失礼する」

あっさりいって、先に進んだ。

「小僧、なめんじゃねぇぞ」

後ろから、罵声が追ってきた。

昼日中のことではあるし、蘭三郎も弥太郎も袴をつけて、腰には脇差が一本、どう見ても武家の子弟だから、危害を加える様子はなさそうだ。

だが蘭三郎は、少し昂奮した。

「おい、先は、突き当たりじゃねえか」

なにかは分からないが、木塀が行く手を塞いでいる。

茶汲女が教えた、下水など見当たらない。

「待て待て、ほれ、道は鍵型に曲がっておるのだ。遠《とお》見《み》遮断《しゃだん》というやつよ」

なるほど弥太郎がいうように、角店と木塀の間に、道は右に曲がっていた。

「…………」

曲がった道は、すぐに水路に突き当たり、水路と木塀の間を道は、左に――東へと伸びていた。

「これが下水か？」

さらさらと、水音を立てて道に沿って流れる水は、清らかに陽の光をはじいている。

どこからか、コンコンコンと木を突《つつ》くコゲラが立てる、軽やかな嘴《くちばし》の音も届いてきた。

「いや、どうやら白堀《しろほり》のようだな」

蘭三郎と一緒になって水路を覗いていた、弥太郎がいう。

白堀とは、上水道を通すための人工的な水路で、開渠《かいきょ》になっているところの呼び名だ。

「すると、下水は、この道の先か」

「そうだろう。行ってみよう」

長々と木塀が続く白堀沿いの道を東に進んでいくと、やがて木塀は途切れ、その先にぽつんと一軒の建物があった。

ちょっと見には、寮のような造りである。

「あれかな」

鉄錆色の長暖簾が下がっているが、軒先の提灯はない。

店先を通り過ぎると、川べりに出た。

頼りなげな橋が架かっているが、その先は畑と大名屋敷、それに寺が見えるばかりで、見世らしきものは見当たらない。

「これが下水か？」

二人して首をひねったが、北方から音羽の谷を下ってくる川筋は、つい南のほうで暗渠《あんきょ》になって消えていく。

実はこの川、はるか北の巣鴨《すがも》村やら雑司ヶ谷《ぞうしがや》村を通って流れ落ちてくる川で、鼠《ねず》ヶ谷《がや》下水と呼ばれている。

それで茶汲女は、単に下水といったのであるが、二人とも、そんなことは知らない。

江戸の町なかで暮らす二人には、下水といえば、生活排水や雨水が流れる排水路という認識しかなかった。

「まあ、とにかく、尋ねるほかはなさそうだ」

いって、弥太郎は長暖簾をくぐる。蘭三郎も続いた。

入ってすぐに上がり框《かまち》があり、長廊下が続く。左手には二階に続く階段……。

上階のほうから、女の嬌声が聞こえてきた。

「ごめん」

弥太郎が声をかけると、右手の部屋からひっつめ髪の婆さんが出てきた。

鶴のように痩せている。

三和土《たたき》に立つ二人の少年を見て、苦笑を浮かべた。

「ちと尋ねるが、三戸屋とはここか」

「さいですよ。前金で、お一人六百文。一刻《いっとき》（二時間）を越えるなら、追加がいるよ」

婆さんが手を出した。

「客ではない。ここの亭主に尋ねたいことがあって、まかりこした」

「おや、おや」

婆さんは、さもあきれたような声を出して、

「客じゃないならお帰りよ。こちとら、暇じゃねえんだ」

「おまえじゃ話にならぬ。ここの家主《いえぬし》を呼べ」

すると婆さんは、

「番頭さん。変なのがきたよう」

細い首を突き出すようにして、右手の部屋に向かって声を上げた。

いかにも、といった強面顔《こわもてがお》の番頭が出てきて、

「聞こえていたぜ。で、まだ尻《けつ》も青そうなのが二人、雁首を揃えて、なんの用だって

いうんでい」

　顎をしゃくり上げ、威嚇するようにいう。

「ふむ。近ごろ、こちらへ帆柱の喜平親分が聞き込みにきたはずだ。まちがいなかろう」

　弥太郎も、負けじとぐいと胸を張っている。

　すると、番頭の表情は動いたが、

「それが、どうだといいなさるんで」

　ことばつきも、少しは変わった。

「我らは、帆柱の喜平親分とは昵懇の者だ。この屋に四晩五日も逗留して、〆《しめ》て五両二分を費やした男のことは帆柱の親分から聞き及びはしたが、いまだ不審の点が残る。よって検分にまかりこした次第」

「へ」

　番頭は驚いた顔つきになったが、次にはあきれたような顔になり、

「なにが検分でい。餓鬼の遊びの相手をしている暇なんかはねえや。帰《けえ》れ帰《けえ》れ」

　と、蝿でも追いやるような手つきをした。

（思ったとおりだ……）

蘭三郎の、予想どおりである。

若衆髷の少年が押しかけたところで、相手がまともに取り合うはずがない。そう弥太郎にもいったのであるが、なに、俺に秘策がある、と蕎麦屋で弥太郎は答えたのである。

さて、どうする、と弥太郎のほうを見ると、ごそごそ懐を探って、なにやら取り出した。

真っ赤な、小判形をした木札のようだ。

「前髪とて、侮ってもらっては困る。これを見よ」

握りしめた木札を、ぐいと番頭のほうに突き出した。

「これは、火盗 改《かとうあらた》めの験《しるし》。我こそは、火付盗賊 改 方本役《ひつけとうぞくあらためかたほんやく》、すなわち火盗改方の頭《かしら》が一子。敢えて名乗りはせぬが、もし無礼のことあれば、ただではおかぬゆえ、覚悟せよ」

えっ！

これには、三戸屋の番頭同様に、蘭三郎も驚いた。

火盗改めと聞けば、泣く子も黙る、というくらい恐れられた存在だ。

それも、その頭の子だという。

2

「どうだ。うまくいっただろう」

弥太郎が、得意そうにいった。

すでに護国寺参道の大通りに戻っている。

四六見世［三戸屋］の家主は外出中だったが、［河内屋］の清太郎が五日を居続けたという部屋も見たし、その相手をした夕鶴という女郎からも話を聞けた。

結果――。

「あれなら、こっそり抜け出して、また戻ってくることもできたな」

と、弥太郎は鼻高々である。

番頭の話によれば、清太郎は七月十五日の八ツ（午後二時）ごろに見世に上がり、昼夜を借りきりたいというので前金で一両を預かった。

そして次の日には、しばらく逗留したいというので、さらに五両を前金で預かった。

最後の十九日は、きょうの昼席で預かり金が切れると伝えると、精算をして夕方には店を出たそうだ。

ところが［三戸屋］の女郎部屋は、すべて二階にあったが、夕鶴の部屋は東側で窓を開くと物干し台が目の前で、容易に川べりの原っぱから出入りができる位置にあった。

さらに夕鶴によれば、

「五日も流連《いつづけ》なんていうのは、あっしも初めてのことで、おまけに昼夜《ひるよる》お構いなしに乗っかられるもんだから、もう三日目くらいからは、いつ起きたんだか、寝たんだか……」

と、記憶はまことに頼りない。

また、部屋の注文に応じて、酒だの料理を届けるのは、最初に顔を出したあの老婆の役であったが、

「え、今月十七日の夕刻かい。きのうのことさえあやふやなのに、そんなに昔のことを覚えているもんかい」

事件が起こったのは、そろそろ夕食どきにあたるから、もしその日の夕刻に、夕鶴の部屋に料理や酒を運んだなら、清太郎への疑いは解けるはずであったのだが――。

「しかし、まあ、清太郎が犯人の可能性がある、というおまえの説に異存はねえが

それは認めざるを得ない。

「肝心の刺された本人が、いまわの際《きわ》に、犯人は雲つく大男だといい、蔵に閉じこめたといったのが、煙のように消えている」

「ふむ。そこのところだなあ」

弥太郎も首をひねった。

「ところでなあ」

参道を北に、護国寺に向かいながら蘭三郎は尋ねた。

「先ほど、親父どのが火盗改めうんぬんというたが、ありゃあ、まことのことかい」

「もう十年も昔の、一年ばかりの間だがな。ゆえに、まったくのでたらめではないぞ」

「え、つまり……元は、ということか」

「そう、そう」

弥太郎は、もう一度、懐から例の木札を取り出して、蘭三郎に見せた。

赤い漆塗りに金泥の文字で、〈火付盗賊改方御用〉と書かれている。

「こりゃあ、実の親父が本役になったとき、与力同心たちに持たせた物だが、もし危急のことあらば、これを使えと、御守りがわりに俺にくれたのだ」

「ははあ……」

弥太郎のいった秘策とは、これだった。

火盗改めの役は、鉄砲組、御弓組を束ねる先手頭《さきてかしら》の内から本役として一人が選ばれ、それでも手薄であれば、加役としてさらに同役から選ばれて任命される。

千石以上の旗本でなければ、その役にはつけない。

（やはり、こやつの実の親父どのは、大身旗本か……）

その父親の名を尋ねたくなったが、蘭三郎は我慢した。

無理にも話題を変えた。

「ところで、初参《しよさん》に手ぶらというのも気が引ける。せめて手みやげでも求めようと思うが……」

これから、音羽一丁目にある音羽塾に向かうところだ。

「そんなものは、いらん、いらん」

「そうはいかねえ。礼儀を知らぬやつなどと思われたくはない」

「そうか。ではほれ、先の虎屋という饅頭屋で売っている、音羽大福などはどうだ」

「大福をか」

「音羽先生の好物だ。俺もときどき土産にしておる。よし、俺も買おう」

そこで、ふかしたての大福饅頭の包みが店先に山と積まれたのを、それぞれに一包みずつ買った。

「こっちだ」

護国寺の山門が間近に迫ってきたところで、弥太郎は横町に入った。

「ここだ」

「ふむ」

蘭三郎が思い描いていたのとは、大いにちがう。

いちおう道には面してはいるが、ごくこぢんまりした二階屋であった。

戸口は開け放たれていて、三和土《たたき》にはほとんど隙間もないくらい、履物が重なるように脱ぎ捨てられていた。

内部からは、ざわざわとした空気が伝わってくるし、そうとうの人数が集まっているものと思われる。

「おや、きょうは、なにごとかあるのか」

弥太郎は首を傾げたが、

「まあ、いい。入ろう」

案内を乞うでも、来訪を告げるでもなく、僅かな隙間に草履を脱いで、

「いいから、こい」

逡巡している蘭三郎を、上がり框のところから手招きする。

と、そこへ——。

「おや、鈴鹿ではないか」

後ろから声がかかって振り向くと、

「あ、青島先生」

柔術の師、青島俊蔵であった。年のころは三十ばかり、しなやかな身体と精悍な顔の持ち主だ。

そこへ弥太郎が上がり框から下りてきて、

「見学でもさせようと思って、連れてまいったのですが、会合かなにかでしょうか」

「見てのとおりだ。思いのほか、人が集まってな。座敷が溢れておる。それで、会場を変えようということになって、料理屋を手配してきたところだ。ふむ、折悪しきところに来合わせたものだな」

「なんの会合ですか」

「ほれ、例の蝦夷《えぞ》の件だ。実は来月に平秩翁《へづつおう》が、松前まで調査に出向かれることになってな。きょうは、その壮行会だ」

「え、平秩先生が……。そうでしたか」

「うむ。そのようなわけだから、きょうは遠慮しろ。いや、しかし、せっかくきたのだからなあ。よし、鈴鹿。本多先生に引き合わせてやるほどに、とにかく表で待っていろ」

「はい」

もうひとつ不得要領ながら、ぶら下げてきた土産を青島に託した。

「どうも間が悪かったようだ。すまぬな」

結局は二人、表で待つことになった。

「へづつ、とは変わった名だが、もしや狂歌師の平秩東作《とうさく》のことか」

「おう、知っておるか」

「いや、詳しくは知らぬが……」

なにかの折に父から、その名は聞いていた。

山師《やまし》みたいなやつだ、といっていたが、そんなことは口にしにくい。

弥太郎が言う。

「本名は、新宿の煙草商で稲毛屋金右衛門《いなげやきんえもん》というのだがな。狂名の平秩東作のほうが、世間にはよく通る。平賀源内や大田南畝などと親交のある人だ」

「へえ、あの寝惚《ねぼけ》先生とか」

大田南畝は御家人らしいが、文人として名を知られ、江戸市民からは寝惚先生と呼ばれて人気がある。

「ほう。黄表紙など読まんという、おまえでも大田南畝の名は知っておったか。うん、それで平秩東作というお人は公儀の殖産興業にも関わって、全国津々浦々に旅を重ねておられるのだ。京や伊勢を巡って、この春に江戸に戻られたのち臥せっておられたが、先に話した蝦夷の抜け荷問題やら、なにやら、実態調査に向かわれることになったのよ」

「ほう」

「病み上がりではあるし、もう年齢も還暦に近い。いやはや、それにしても元気なご老人じゃ」

と話しているうちにも、音羽塾から、ぞろぞろと人が湧いて出る。

弥太郎とは顔なじみも多いらしく、なにかと声をかけては、大通りのほうへと向かっていった。

「おい。前髪の者など、一人もおらんぞ」

と、蘭三郎は小声になった。

たいがいが壮年の、もちろん二十歳前後の若者もいて、武士も町人も入り交じってはいたが、成人前の者というと、弥太郎と蘭三郎だけだ。

「なに、俺は、この冬十月に元服の予定だ。もしおまえが、この塾に出入りするなら、前髪はおまえ一人になるだろうよ」

「おい、おい」

「臆することはない。なにしろ、これまでは、前髪は俺一人きりであったのだ。とにかくな。話を聞いているだけで、全国の情勢が耳に入ってくるのだから、これは楽しいぞ」

「ふーむ」

弥太郎に指摘されるまで気づきもしなかったのだが、自分は、そうとうに晩生《おくて》で、あまりにも世間知らずであった、と自覚しはじめていた。

八丁堀・地蔵橋の屋敷を出されて、いまだ将来の展望も見えない境遇であるが、遅れた分を、少しは取り戻しておかねばならぬな、とも考えている。

「きたぞ」

弥太郎が小声で言った。

音羽塾から十徳《じっとく》姿の老人と、四十がらみの男と、青島が三人続いて出てきた。

「ほ……」

これが平秩東作か、と思われる長い眉の老人が、

「ほ……」

小さな声を出し、足を止めてこちらを見た。

すると、これが音羽先生かと思える人が、老人になにやら耳打ちをした。

なかなかにふてぶてしい顔つきの老人は、ふんふんとうなずくと、満面の笑顔になって近づき弥太郎に向かった。

「これは、これは、お初にお目にかかります。どうか御父君に、この平秩のこと、よろしくお伝えくだされや」

対して、弥太郎が答える。

「承りました。またこのたびは、ご遠方までご苦労さまでございます。どうぞご壮健であられますように」

「いや、ありがとう」

そのあとを引き取るように、青島が音羽先生こと、本多利明を蘭三郎に引き合わせ

た。

切れ長な目で、本多利明がいう。

「まことに、すまんのう。これに懲りず、気が向いたら、いつでも遊びにおいで。待っておるよう」

なるほど、気さくな先生であった。

おそらくは越後の訛りがあったのだろう。素朴な話しぶりにも好感が持てた。

3

「しかし、松前というと、よほどに遠いな」

蘭三郎の感覚からすると、想像もつかない地の果てである。

「道程にもよろうが、海陸二百九十余里というから、まあ遠いのう」

それゆえ蝦夷島主、すなわち松前藩主の松前氏（元は蠣崎《かきざき》氏）の参勤交代は、六年に一度の特別待遇を与えられていた。

「先ほど、あの平秩翁は、公儀の殖産興業にも関わったといっておったが、それはどのようなもんだい」

「ううむ……」

弥太郎が言いよどむ。

「分からねえのか」

「そうではない。いや、こりゃあ人づてに聞いた話だが、十年ばかりも昔に、伊豆天城山《あまぎさん》にて炭焼きまわしの事業を公儀に願い出たが、あまり、うまくはいかなかったようだ。というより、ここだけの話だが、公儀に三千両近く作った前借金が返せず、そこで本所相生町《ほんじょあいおいちょう》に材木問屋を開き、どうにか前借を返したというがなあ……、どうも怪しいものだ」

蘭三郎は驚いた。

なるほど、怪しい。

蘭三郎の父が、平秩東作のことを山師と呼んだのも、そのあたりであろうか。

だが、蘭三郎が怪しい、と感じたのは、平秩東作という人物についてだけではなく、その平秩と弥太郎の実父との間に、なにか関わりがあるのではないか、という点であった。

「御父君に、よろしく、と言っておったなあ」

「ふむ」

「つまり、公儀というのは、おまえの父御《てて ご》にも関係があるのか」

「おいおい」

弥太郎は、驚いたような声を上げた。

「おまえ、なんにも知らない世間知らずと思うたら、やけに鋭いところを突いてくるな。だが、俺にもまだ、いまひとつ詳しい事情までは分からぬのだ。しかし不審な点ならいくつもある。なにしろ、まさかあの老人が、一人きりで松前までも行くとも思えんし、なんの手蔓もなしということも、あるまい」

「そうだろうなあ」

「となると、旅の費用《かかり》のこともあるが、調査というからには……」

「公儀も、どこかで関わっておる、ということか」

「だから、分からんというただろう。まあ塾生とはいえ、まだ半人前の、十日に一度程度の、客人扱いだからなあ」

「なるほど、そういうことか」

音羽塾における、弥太郎の立ち位置というのは、その程度であるようだ。

「元服さえ終われば、音羽先生の扱いも変わるはずだ。そうなれば、もっと詳しいことも分かるだろう。なによりも俺は、赤蝦夷、すなわちオロシャの動向が気になるのだ」

（ふうむ）

蘭三郎は、改めて弥太郎に畏敬の念を覚えた。

僅かに一歳の年上だが、めざす世界の大きさがちがう。

ちがうもなにも、蘭三郎は、これまでそのようなことを考えたこともない。

（これは……）

やはり大身旗本の子と、町方同心の子の、ご政道というものへの姿勢か、それとも器のちがいではないのか、という気さえしはじめた。

音羽町は、護国寺のほうから一丁目、二丁目と続いて九丁目まである。

七丁目あたりまできたとき、騒ぎが起こった。

「あっ、こやつ！」

前方で声がしたと思ったら七つ八つの小童《こわっぱ》と、十かそこらの男児が二人、ものすごい勢いで駆けてくる。

その後ろから、

「かっぱらいだ。つかまえてくれ」

との声が追いかける。

その声に、ちょうど通りかかった商人ふうの男が、年上の男児の襟首をつかんだ。年下のほうは、その横をすり抜けたが、思わず足を止めかけたのに、

「逃げろ。あとはまかせろ。逃げるんだ」

商人にとっつかまったほうが大声を上げ、一度は、その手を振り払ったが、次には気丈にも、両手を広げて通せんぼの姿勢をとって、

「逃げろ、早く」

その叫びに、年下のほうは蘭三郎たちの横を走り抜けて、横町を曲がって消えていった。

その手に握られていたのは、先ほど蘭三郎たちが買い求めた音羽大福の包みのようだった。

二人の小童を追いかける男の半纏には、やはり［虎屋］の文字がある。

幼いほうを逃がそうと、両手を広げて立ちはだかる子供に、

「この餓鬼が！」

拳を振り上げるのに、

「待て、待て！　子供に乱暴を働いてどうする」

弥太郎が走ったので、蘭三郎も走った。

すると、［虎屋］の男の動きが止まった隙をついて、男の子が脱兎のように駆けだした。

つかまえようと思えばつかまえられたが、その貧しい服装を見て、蘭三郎は見逃してやることにした。

それを再び追いかけようとする［虎屋］の男を押しとどめるようにしながら、

「まあ、まあ、見逃してやれ。だいたいに、あのように、さあ持っていってくれといわんばかりに、大福包みを積み上げているほうも悪いのだ」

などと、弥太郎も掛け合っている。

「なにを言いなさる。あの兄弟のかっぱらいには、先《せん》にもやられておりますんで。いったい、この始末、どうおつけくださるんで」

「さようか。しからば以前の分もあわせて、俺が払ってやろう。それなら文句はあるまい」

とんだ、おまけまでがついた一日であった。

4

仲秋八月の一日は八朔《はっさく》といって、このころに早稲《わせ》の穂が実ることから、農民の間では初穂を恩人に贈る〈田の実（頼み）の節句〉という風習があった。

これが武家や公家、その他にも伝わり、京の花街あたりでは芸妓や舞妓《まいこ》が、お茶屋や師匠筋に挨拶まわりをする行事が、現代にも伝わっている。

特に江戸においては、神君家康が江戸に入城したのが八月一日ということもあって、八朔は正月に次ぐ祝日と定められ、諸侯が登城して将軍に太刀を納める、という特別な日であった。

江戸城の夜は狂言鳴り物が催され、大奥の女中たちは白帷子《しろかたびら》姿で、

ゆたかなる秋を頼むの祝ひとや
　袖にも雪の色や見すらん

と、『幕府年中行事歌合《うたあわせ》』にも見える。

新吉原の遊女たちもまた、この日は白無垢姿となって仲の町へ繰り出す。

「おまえさん、鈴鹿の旦那のところへ挨拶に行かなくてよいのかえ」

猫の額みたいに狭い裏庭で、鉢植えの朝顔に水をやっていた喜平に、女房のおてるから声がかかった。

「そんなことよりよう。もひとつ、咲きが悪いようだ。朝顔売りに、粗悪《ちゃち》な品をつかまされたんじゃねえのかい」

「そんなこたあないよ。今年はほら、日照りが悪いせいだよ」

「そうかあ。向かいの家のは、立派なのが咲いてるがなあ」

「あっちは、ほら、入谷《いりや》の朝顔市まで、わざわざ出向いて買ってきたもんだ。やっぱり、手間暇のちがいだよ」

「そうかなあ。ちぃと油かすでも入れてみようか」

「そんなことより、八朔の挨拶だよ」

「へん、行くもんか」

「嫌みをいわれたって、知らないよ」

「嫌みをいいたいのは、こっちのほうでえ」

帆柱の喜平、［河内屋］の事件に鈴鹿の旦那が臥煙の利助を噛ませたことが、やはり気に入らない。

おまけに——。

一昨日、音羽町界隈を縄張りにしている音駒《おとこま》こと音羽の駒五郎《こまごろう》が、いちゃもんをつけにきた。

「おい、帆柱の、桜木町の三戸屋の件で、たしかに挨拶はもらったがなあ……」

四六見世を聞き込むに際しては、土地の岡っ引きである音駒に筋を通しておいたはずだが……。

「きのうのことだ。おめえと昵懇だという小僧二人が三戸屋に乗り込んできて、火盗改めの伜とかなんとかぬかして、引っ掻きまわしていったそうだ。俺ァ、そんなことは蚊帳《かや》の外だったから、ずいぶんと面目を失ったぜ」

「なに、火盗改めだと……？」

「そうよ。いったい、どういうことになってんだい」

だいたいに町方三廻りの同心に、岡っ引き稼業の者は、岡場所あたりから月々の手当金をとって、目こぼしをする。

そんなふうに、互いにもたれ合って生きている。

それが、いきなり火盗改めを名乗られては、あわてふためいても当然であった。

そうか、蘭三郎坊ちゃんが連れてきた、あの山崎弥太郎というのが、火盗の関係者であったか、と喜平はすぐに悟った。

そうとも知らず、ぺらぺらとしゃべってしまったが、これは喜平の責任である。

「いや、音駒の親分、まったく面目がねえ。実はなあ、その二人の少年の内の一人が、俺が手札をもらっている同心のご子息で、友だちを連れて事件のことを尋ねにきた。それが火盗がらみとは知らず、ついぺらぺらとしゃべっちまったが、まさか桜木町くんだりまで行くとも思わなかった。まあ、二人には、面白半分であったんだろうが、そのような事情だ。勘弁してくれ」

音駒は、話の分からぬ男ではない。

事情さえ分かれば、一応は苦い顔はしながらも、喜平が包んだ堪忍金《かんにんがね》を懐に、ことは丸く収まった。

そんな、おとついのきょう——。

「こんにちは。いらっしゃいますか」

表のほうから声が届いた、

「あら、スズランの坊ちゃまだ」

おてるが、いそいそと表へ向かった。

蘭三郎の絵解き

1

喜平は、蘭三郎たちが桜木町まで出かけていったことも、そのことで、おとつい苦情がきたことも、一切《いっさい》を胸に収めたまま、にこにこと蘭三郎に対した。

なにしろ、蘭三郎のことは孫のように可愛い。

「で、きょうは、どんなご用ですかい」

「はい。一昨昨日《さきおとつい》に、おじさんから例の河内屋の事件について、詳しくお教えをいただいたのですが……」

「はいはい」

やはり、そのことかと喜平は思った。

蘭三郎はいう。

「あれから、いろいろ考えたんですが、なぜ蔵に閉じこめたはずの盗人が、煙のように消えてしまったのか、なんとなく謎が解けた気がしましてね」

「なんと、おっしゃる」

喜平は、驚いた。

「で、念のために確認をしておきたいのですが、河内屋の小女が台所を出て、蔵に異常を感じたのが、ことのはじまりでしたね」

「ちげえねえ。おすずという名で十六歳ですよ」

「その、おすずさんが、蔵を覗くと漆喰扉の片方が開いていて、声をかけたら、くるな、近寄るんじゃないぞ、と旦那にいわれたんですよね」

「おすずの証言ではそうです。蔵の中には刃物を持った賊がいたんで、弥兵衛は、おすずにも危害が及ばねえようにと、そういったんでしょうよ」

「そうですね。で、そのあと、よろよろした足どりで河内屋の弥兵衛が姿を現わした」

「そうそう。しかも血まみれに見えた。それで、おすずは驚いて番頭たちを呼びにいったという話だった」

「そのとき、おすずさんは、弥兵衛が、逃げろ、と叫んだのを、背中で聞いたんですよね」

「そうだったな。おそらく賊が、おすずを襲うのではないかと心配したんでしょう。早く逃げろ、あとのことはわしにまかせろ、といったというな……」

「はあ、やはり、そうでしたか」

　にっこりと、蘭三郎が笑った。

「そんなんで、謎が解けたんですかい」

半信半疑で、喜平は尋ねた。

「はい。こう考えてはどうでしょうか。弥兵衛が早く逃げろ、といったのは、おすずに対してではなかった。では誰にいったのかというと、盗人に向かっていった」

「へ……」

　あまりに思いがけないことを聞いて、喜平は、目をぱちくりさせた。

「つまり、弥兵衛は、盗人を庇《かば》ったんですよ。おすずに蔵の外から声をかけられて、くるな、近寄るんじゃないぞ、といったのだって、おすずに盗人の顔を見られては困るから、とは考えられませんか」

「う……、うーん」

「で、おすずが人を呼びにいくのを見て、盗人に、あとのことはまかせて早く逃げろ、といったんだとしたら、どうでしょう」

喜平は、めまぐるしく考えた。

なるほど、それはそれで辻褄が合う。

弥兵衛が犯人を庇って逃がしたのだとしたら、それを知らない番頭や手代たちが、弥兵衛からまだ蔵の中に賊がいると聞き、さらには弥兵衛の指示で扉を閉めて、賊を蔵に閉じこめたつもりにもなっただろう。

ひと一人が煙のように消えたのではなく、元もと無人の蔵の扉を閉めただけのことになる。

すると、犯人が雲つく大男というのも、弥兵衛の口から出まかせであったのか。

思いもかけなかった盲点を突かれて、喜平は呆然となった。

しかし……。

「蘭三郎さん。いったい、どうしてそんなことを思いつきましたのさ」

「はい、実は……」

蘭三郎は音羽町で見た、兄弟らしい幼いかっぱらいの話をした。

危うく捕まりかけたとき、兄のほうは弟を逃がすため、身体を張って立ちふさがり、

弟に、

「逃げろ。あとはまかせろ。逃げるんだ」

と叫んだという。

それで蘭三郎は、［河内屋］の事件の謎が、弥兵衛が誰かを庇っての大芝居であったのではないか、と考えたそうだ。

「なるほど、しかし……」

命を賭してまで犯人を庇うとなると、まず肉親の情……、あるいは大恩人、くらいしか思いつかない。

一応は、蘭三郎に尋ねてみた。

「で、もしや、犯人の目星でもついておいでなさいますか」

「軽々なことはいえぬが、やはり、養子の清太郎のような気がする」

「ふうむ。理由をお伺いしても、よろしゅうござんすか」

「実は、おじさんの話を聞いたあと、あの山崎弥太郎と二人、桜木町の三戸屋まで出向いてみた」

「ほほう」

先刻承知のことだが、おくびにも出さずにおいた。

「すると清太郎が居続けた部屋というのは二階ですが、窓の取っつきに造りつけの物干し台があって、外部との出入りは自由に思えました」

「へえ、そりゃあ、そのとおりでございやすが……」

その点なら、喜平だって確認をしている。

ただ、清太郎には動機がない。

これが四六見世に居続けして、金が切れたので盗みを思いついたとすれば別だが、[三戸屋]では、しっかり清太郎から前金を預かっていた。

それゆえに、逃げ出されても痛くもかゆくもない部屋へ揚げたのである。

「それから、清太郎というのは、どちらかといえば小柄なほうだとか」

「へえ、そのとおりでござんすが……」

「弥兵衛は、盗人のことを雲つく大男だといった。庇ってつく嘘なら、やっぱり逆の特徴をいうのではないでしょうか」

「それは、そうでござんしょうね」

「それから、蔵の鍵の謎です」

「へえ」

「蔵の内錠の鍵は二本あって、一本は弥兵衛が肌身離さず首からかけており、いま一本の予備の鍵は、隠し戸棚の中に収まっていたそうですが……」

「へい、そのとおりで。弥兵衛しか知らない隠し扉で……。お！　それも弥兵衛の嘘だったと」

「はい。弥兵衛以外で、それを知っている者となれば、養子といえ、清太郎以外には考えられません」

「うーむ」

喜平は唸った。

「するってぇと蘭三郎さんは、こうお考えでござんすかい。清太郎が、その隠し戸棚から鍵を取り出して蔵に忍び込み、たまたま弥兵衛に見つかって、ってえことになるんですかい」

「勝手知ったる家ですからねえ」

「じゃあ、その鍵を持ったまま逃げて桜木町に戻り、何食わぬ顔で戻ったのちに隠し戸棚に戻した、と……」

そう、うまくいくものだろうか？

「いいえ、そうではないと思います」

「え、では、どんなふうに……」

「弥兵衛は、あとのことはまかせろといった」

「へい」

「清太郎さんが、万一にも予備の鍵を持っていたことを知られれば、これはどうにも言い逃れができない。そこで弥兵衛は、清太郎に予備の鍵を蔵横の用心土に埋めて、隠すように指示したのではないでしょうか」

「え、用心土に……」

「はい、そうやって、清太郎が逃げたあと、弥兵衛は用心土を点検し、その上に蔵の海老錠を乗っけた。盗人を閉じこめるため、海老錠が用心土の上にあることを番頭たちに教えたのは、弥兵衛でしたね」

「うん、そう聞いているが……」

「外した海老錠を、木箱に入った用心土の上に置いていたというのが、どだい、不自然ではありませんか。商家のことはよく知りませんが、蔵の海老錠を外したなら、蔵に入ったあたりに置くのが普通ではないでしょうか」

「ふーむ」

「うっかり蔵の外にでも置こうものなら、外から錠をかけられて、閉じこめられかねませんからね」

「ううむ……、いや、ごもっとも」

まことに、そのとおりであった。

すると清太郎は、桜木町から店に戻ったあと、秘かに用心土から鍵を掘り出し、元の隠し戸棚に戻したことになる。

その隠し戸棚を見つけたのは臥煙の利助だが、それは清太郎が戻ってきてから十日もたってのことであった。

十分すぎるほどの余裕がある。

（さて、その鍵に土の跡でも残っていたかどうか……）

たしかめてみる価値はありそうだ、と喜平は考えていた。

2

蘭三郎が続ける。

「なぜ清太郎が、お店《たな》の金に手をつけようとしたのかは分かりませんが、蔵に忍び込み、金箱から盗もうとしているところを弥兵衛に見つかり、それで揉み合いとなり、つい刺してしまった、といったところかと思われます」

「うん、浅間山の噴火で昼間でも薄暗いところに夕方で、しかも蔵の中……、動転もしただろうし、相手が弥兵衛だとは気づかなかったのかもしれねえな」

ついつい喜平も、蘭三郎の説に同調をしはじめた。

「もうひとつおかしいのは、金箱からなくなったのは五十両とか。河内屋の金箱は、それで空っぽになったのでしょうか」

「いや、まだ二百両ばかりが残って……あ……！」

こりゃあ、俺としたことが、と喜平は臍《ほぞ》を噛んだ。

普通の盗人なら、ありったけの金を盗んだはずだ。

それを喜平は、あのときには——。

盗人が金箱に手を突っ込んだとき、蔵の異常に気づいた弥兵衛が段梯子を上ってきて揉み合いになったのち、おすずからの声もかかった。

そんなこんなで盗人は、ぜんぶを盗みきれなかった。

というふうに考えたのだが、その点をもっと怪しむべきであったのだ。

（と、いうことになると……）

これまで見えてこなかった、清太郎の盗みの動機までが露《あら》われてきた。

清太郎は木曾の奈良井まで、塗櫛の買付に出かけている。

それなりの仕入の金を用意して出かけたはずだ。

ところが清太郎は、初めての旅の解放感から、途中大宮の宿では氷川神社を見物し、次の深谷の宿では食売女《めしもり》に手を出した。

これまで悪所通いを経験していなかった清太郎にとっては、初めて触れる女体である。

つい、ずるずると深間にはまって旅程は滞り、その間に浅間山の噴火で、とうとう目的地の奈良井にはたどり着けなくなってしまった。

それで江戸に引き返してきたのだが、どうにも言い訳が見つからない。

買付はできていないわ、金がないわでは、もう、どうしようもない。

それが、盗みの動機であったのか。

そんなことを、喜平は考えはじめていた。

蘭三郎がいった。

「弥兵衛は、まさか自分が死ぬほどの傷を負わされていたとは思わなかったでしょうし、清太郎のほうもそうだった。だから弥兵衛は、清太郎を逃がすとき、しばらく身を隠してほとぼりを冷まし、何食わぬ顔で戻ってくるように、と清太郎にいい含めたのではないでしょうか」

「うん、ところが戻ってくれば、なんと弥兵衛は死んじまって、葬式まで終わったあとだった」

泣き腫らした清太郎の顔を、改めて喜平は思い起こしている。

(本気で泣かなきゃ、あんな顔になりゃしねえ)

そこに嘘はなかった、と喜平は思う。

蘭三郎がいうように、清太郎は、まさか弥兵衛が死ぬなどとは思っていなかったにちがいない。

だが、結果は、清太郎が弥兵衛を殺したことになる。

清太郎は驚愕し、次には心から後悔して涙を流したにちがいない。

弥兵衛が清太郎を庇った大芝居は、自分が命を落としてしまう、という大番狂わせを除いては、ほぼ成功したかに思えた。

あとは、清太郎さえ口をつぐんでいれば、[河内屋]の事件は謎のまま、未解決となったであろう。

だが清太郎の不運のひとつは、桜木町の四六見世を出るところを、町鳶の若い衆に目撃されたことだ。

それで、お店の蔵に忍び込んだことを除いて、洗いざらいを喜平に白状する羽目に陥った。

そして、いまひとつ、次には目前にいる蘭三郎に、弥兵衛の大芝居を見破られたという点であろう。

しかし……。

理屈ではそうでも、そこには大きな障害が横たわる。

「うーん……」

思わず腕組みをして唸った喜平に、蘭三郎がいった。

「問題は、養子にしかすぎない清太郎を、なぜ弥兵衛が庇ったのか、という点ですよね」

「そう、そこだ。たしかに清太郎を見込んで、養子にと望んだのは弥兵衛自身だが、養子にして二年で、そこまでして庇うものかねえ」

「え、二年……。それも弥兵衛本人が望んで清太郎を養子にとったのですか」

「うん。番頭の友七から、そう聞いた」

「やっぱり」

「やっぱり、といいますと……」

「はい。もしやとは思っていたのですが、清太郎というのは、弥兵衛の実の息子ということは考えられませんか」

「へ！」

蘭三郎の発言に、またも喜平は仰天した。

じっくり腰を据えて調べさせていただきますよ、と喜平は蘭三郎に約束して、

「まあ、坊ちゃんは、これ以上は首を突っ込まねえほうがいいでしょう」

いうと蘭三郎は、自分の前髪に手をやって、

「そうですね。自分で調べるにしたって、この髷じゃ、どうにもなりません。一昨昨日に桜木町まで行って、そのことはしみじみと分かりましたよ。それに、わたしにはほかにもやりたいことができました。調べのほうは、おじさんにおまかせしますよ」

爽やかに笑った。

「ところで、もうひとつ、ふたつ、お願いがございやす」

「なんでしょう」

「はい。先日の坊ちゃんのご友人、山崎弥太郎さんでしたか、このこと、もう話されましたか」

「いや、まだですが」

「それはよかった。いや、別に弥太郎さんがどうこう、というのではないのですが、どうも微妙な探索ゆえに、できるかぎり秘密裡におこないたいのですよ。つまり……」

「うん。人の口に戸は立てられない、というやつだな。いや、あの弥太郎、悪いやつではないのだが、いささか口が軽そうでもあるし、ま、話すにしても事件が解決したのちのことにしましょう。それでよろしいでしょうか」

「はい、そう願えればありがてえ」

喜平にすれば弥太郎に、またもや火盗の倅なんぞとしゃしゃり出られると迷惑だと考えたのだが、蘭三郎の物わかりは抜群だった。

「で、もうひとつは？」

「勝手を申すようですが、しばらくは、お父上にも、このことは伏せてはいただけませんでしょうか」

「はい。ぜひにも、おじさんの手柄にしてください。そう思って、おじさんのところに一番に報らせにきたんですから」

「へ、こりゃあ」

「臥煙の利助なんかに、負けないでくださいよ」

なんだ、なにもかもお見通しじゃねえか、と喜平は思った。

3

蘭三郎が戻っていったあと、喜平は懐から手控えを取り出した。

捕り物に関することは、人から聞いた話もひっくるめ、細大漏らさず手控えるようにしている。

「しばらく、邪魔するんじゃねえぞ」

おてるに言って喜平は二階に上がり、まずは隅っこに置いてある柳行李をごそごそ探って、暦《こよみ》の束をどっさりと取り出した。

毎年年末に、通り油町の［鶴屋］書店から買い求めている［江戸暦開板所］編の、れっきとした暦だ。

それを文机横の畳に重ねて置くと、次にはせっせと墨を磨《す》りはじめた。

（それにしても……）

蘭三郎の絵解きの見事さに、改めて喜平は舌を巻いていた。

だが、蘭三郎の今の立場は、町方同心の冷や飯、いや、地蔵橋の屋敷を出されて、それすら危うい。

（惜しいなあ……）

そんなことを思いながら墨を磨り終わり、机に半紙を一枚広げた。

まず「清太郎」と書き、「生年」と書いた。

清太郎は二十四歳、すると……。

去年が二十三歳、一昨年が二十二歳、というように暦を新しい順に取り除いていく。

（ふむ、宝暦十年（一七六〇）か……）

〈宝暦庚辰《こうしん》暦〉と表紙をたしかめ、それも記する。

さて、この年、弥兵衛の年齢は……？

享年四十七歳であったから、宝暦十年には二十四歳、そのことも記す。

二人が親子であったとしても、矛盾はない。

次に、手控えをたしかめる。

そこには、弥兵衛の葬式のときに、町鳶の甚五郎と交わした話も書き留められている。

弥兵衛は元の名を長吉といい、十二歳のときから［河内屋］に住み込み奉公で入り、二十三歳のときに、十八歳のおしのの婿養子で入っている。

「ふーむ」

喜平は筆を擱《お》き、半紙に書かれた文字と手控えとを交互に見やって、腕を組んだ。

なにやら、もやもやとしたものの向こうに、絵柄が浮かんできた。

つまり、清太郎が生まれる前年に、まだ長吉といった弥兵衛は、おしのの入り婿になったということだ。

少しばかり、靄が晴れた気がする。

（うん！）

手控えの、ある部分に喜平は目をとめた。

〈養子入りの前年、父死亡、海辺大工町の船大工〉と記されている。

つまり、弥兵衛（長吉）が二十二歳のときだ。

町鳶の甚五郎の話では、［河内屋］の先代がいうには、父親が死んで長吉が天涯孤独になったので、安心してあばずれのおしのの婿養子に決めた、というような話であった。

すると――。

まことに紋切型《もんきりがた》ではあったが、喜平の脳裏に浮かび出てくるのは、次のような絵柄である。

長吉には女がいたが、奉公先への婿養子の話がおこって、女を捨てた。よくある話である。

ところが女のほうは懐妊していて、のちに長吉の子を産んだ。

その子が、清太郎ではないのか。

そう考えていくと、まるで貝合わせのように、ぴったりと平仄《ひょうそく》が合う。

［河内屋］の婿養子におさまった長吉だが、やがて先代が亡くなって、弥兵衛を襲名したころから、女房のおしのは男狂いをはじめ、やがて間男《まおとこ》に殺された。

それから四年後には、おしのとの間にもうけた一子、千代蔵を疱瘡で喪っている。

跡継ぎをなくした弥兵衛が、清太郎を養子として迎えたのが……。

喜平は、忙しく手控えを繰った。

（ふむ、千代蔵を亡くした四年ののちか……）

喜平は腕を組んで、天井を仰いだ。

（この四年間の、意味するものはなんだ）

さまざまな思考が、浮かんでは消える。

まず、喜平が思い描いた絵柄どおりだったとしよう。

まず、そもそも長吉は、捨てた女が自分の子を産んだのを知っていたのか、知らなかったのか。

知らなかったのなら、喜平の絵柄は蜃気楼のように消え失せてしまう。

(どっちなんだ、弥兵衛)

問いただしたくとも、弥兵衛は手の届かない鬼籍《きせき》の人だ。

といって、なんの証しもなく清太郎を問いつめるわけにはいかない。

第一、喜平が描いた絵柄は単なる推測で、なんの証しがあるわけでもない。画に描いた餅のようなものだ。

(えい、めんどくせえ。証しは、あとからついてくらあ)

まずは、あれこれ考えているよりも、聞き込むほかはない、と思った喜平だが、

(いや、待て待て、下手な鉄砲じゃあるめえし……)

思い直した。

ことは思いのほか、複雑だ。

無駄足を踏むより、最初にきちんと整理をしておいたほうが早道だ。

そこで、もう一枚、新しい半紙を取り出し、手控えと暦を使って、次のようにまとめた。

元文《げんぶん》二年（一七三七）　長吉生まれる。母は幼児期に病死
寛延《かんえん》元年（一七四八）　十二歳、［河内屋］に住み込み奉公
宝暦《ほうれき》八年（一七五八）　二十二歳、船大工だった父親が死去　海辺大工町
同　九年（一七五九）　二十三歳、おしの十八歳の婿養子となる
同　十年（一七六〇）　二十四歳、この年清太郎が生まれる
同十二年（一七六二）　二十六歳、長男千代蔵が生まれる
明和《めいわ》七年（一七七〇）　三十四歳、先代死去により弥兵衛を襲名
安永二年（一七七三）　三十七歳　女房おしの三十二歳で殺害さる
安永六年（一七七七）　四十一歳、長男の千代蔵が死去
安永十年（一七八一）　四十五歳、清太郎二十二歳と養子縁組
天明三年（一七八三）　四十七歳で殺害さる

「うん、これですっきりした」

首を傾けポキリといわせ、喜平は書き上げたばかりの年表を掲げた。

まず気づいたのは、絶対的に不足している清太郎の情報だ。

だが、そのほかにも知っておきたいことがあった。

その夜も五ツ（午後八時）の鐘が鳴るころに、まず喜平が向かった先は堀江町だった。

4

「河内屋」の番頭の友七は通いで、堀江町四丁目の裏店に住んでいる。

十年前に、おしのが殺された事件のことで、喜平は何度か友七宅へ立ち寄ったし、先代の主にも仕えていた男だから、古い話を聞き出すにはもってこいだ。

裏店とはいえ二間三間の二階屋の前で、喜平は下げてきた提灯の火を吹き消したあと、風通しのためか半開きになっている腰高障子の奥に声をかけた。

「あ、こりゃ、親分さん」

晩酌でもやっていたか、僅かに酒の匂いをさせながら、出てきた友七は驚いたような声を出した。

「夜分に突然すまねえな。ちょいとお店じゃあ聞きにくい話もあってな。邪魔させてもらってもかまわねえかな」

「はい、まあ、お上がりなさいまし」

友七が酒を勧めてくるのを断わり、

「ときに、おまえさん。河内屋は、もう長《なげ》えんだろう」

「はい、もうかれこれ四十年と……」

胸で数えたか、四十四年になると答えた。

「ふうん。そりゃあ、長えなあ。普通なら、暖簾を分けてもらっても罰《ばち》は当たるめえに」

「昔は、そんな期待もいたしましたが、もうとっくにあきらめました。というより、店がつぶれずに、きょうまでこれただけでも幸いでございましたよ」

「ふうん、おしののせいだなあ」

これには友七は答えなかったが、心情は痛いほど分かる。

男遊びに湯水のように金を使い、「河内屋」の身代を傾けた挙げ句に殺された先代の娘だ。

「ところで番頭さんは、いくつになるね」

「五十五でございますよ」

「すると、長吉とは八つちがいか」

喜平は、わざと長吉の名で呼んだ。

そのあたりをとっかかりにして、まずは長吉の身許を詳しく探る。

長吉は母親を早くに亡くし、深川海辺大工町の裏店に船大工の父親と二人で暮らしていたが、友七が二十歳の手代のころに、住み込み奉公で入ってきた。

友七の話をまとめると、こうなる。

新しい情報はない。

いたって堅実で、派手な遊びはしない。女の噂も聞かなかったという。

「ところで請人《うけにん》は、誰だったい」

奉公に上がるには、身元を保証する請人が必要だ。

「たしか、長屋の大家だったか、町代だったたか」

「覚えていねえか。しかし、そういった書き付けは残してあるんだろう」

「それは、そうなんですが、ほれ十年ばかり前の行人坂《ぎょうにんざか》の火事で、なにもかも焼けちまいましたもんでねえ」

「ううむ……、しかし、大事な帳簿は蔵に入れて保管をするんじゃねえのかい」

「おっしゃるとおりで……、実は長吉……いや主人が、ああいうことになりましたもので、葬儀のこともあって、できればお身内にもお知らせしたいと……」

もしや蔵の中にでも綴りが残っていないかと、探しまわったが、請書は見つからなかったのだという。

こうなると、万事休すだ。

喜平は懐から例の年表を取り出して確認すると、行人坂の火事は、おしのが殺される前年のことであった。

「宝暦八年、長吉が二十二歳のときだが、父親が亡くなっているなあ」

「はいはい。あのとき、わたしは番頭になっておりまして、長吉の父親が住んでいた長屋まで、ご仏前の品を届けにまいりましたよ」

「そうかい、じゃあ、その長屋の名くらいは覚えていよう」

「さて、もう二十五年ほども昔のことでございますんでねえ。いやあ、どうも……」

友七は白髪頭を傾けて、古い記憶をたどっているようだったが、

「やはり、思い出せません。ただ、場所は小名木川《おなぎがわ》に架かる高橋より少し西……、そこんところに南に入る狭い横町がございまして、ええと、なんとかいう稲荷《いなり》が……そうそう道分《みちわけ》稲荷といいましたか、その稲荷の手前にある長屋でございましたよ」

「そうか。死んだ父親の名は覚えておらんよなあ」

期待もしなかったのだが、

「いえ、それなら、ひょんなことから、覚えておりますよ」

矢兵衛といったそうだ。一字ちがいながら、主人の弥兵衛と読みが同じだったので、友七の記憶に残っていた。

喜平は、そのあたりから、時代を進めながら話を集めていくことにした。

長吉が、おしのの入り婿と決まったとき、番頭の友七はすでに女房を貰い、この堀江町に住む通いの番頭になっていたという。

「先代が亡くなったのが行人坂の大火の二年前か、それから、おしのの男狂いがはじまったんだったなあ」

「はい。今だからいえますが、相撲取りに殺されて、正直なところ、お店が保《も》ったようなもんです。あのままいきゃあ危なかった」

「そこまで追い込まれていたのかい。で、長吉、じゃねえ、その後の弥兵衛に後添いの話はなかったのかい」

「いろいろ話はございましたが、片っ端からお断わりでしたねえ」

もう女など信用できなかったのだろう。

「とにかく、お店までが燃えて、どうにか再建させるのに精一杯でございましたよ。

一時は沽券《こけん》（土地の売り渡し証文）までカタに入れて、背水の陣でございましたからねえ。いや、旦那さまは、ほんとうによく頑張られましたよ。奉公人の数をぎりぎりまで減らし、それこそ爪に火を灯すような暮らしぶりで、あれには、わたしも頭が下がりました」

番頭がそういうくらいだから、弥兵衛はがむしゃらに頑張ったのだろう。

「そんななか、一人息子を亡くしたんだな」

「はい。よくよく運のないお人で。それでも気丈に振る舞っておられましたが、なにか、ぷつんと糸でも切れなさったか、そのころから、ときおり、お遊びに出かけられるようになりましたなあ」

「ほう。どんなふうに」

「いや。そこまでは分かりません。寄合だとか、商談だとか、仕事以外で出かけることなど、めったになかったのが、ときおり、ふらりと出かけられることが増えましたので」

「行き先は」

「分かりませんねえ」

「そうかい。じゃあ、清太郎を養子に取ったときのことを、聞かせてもらえねえか。

たしか、どこかの手代だったのを、弥兵衛が気に入って養子縁組をしたんだったよな」

「青物町にある、藤屋藤助《ふじやとうすけ》店の手代ですよ。いや、若旦那の千代蔵さんがぽっくり逝って、河内屋には跡取りがいなくなった。旦那さまはといえば後添いをもらう気もないし、親戚筋もいない……」

番頭の友七も心配して、養子をとることを勧めたという。

「ちょうど、そんな折でございましたか、ご存じのように、わたしんところは小間物問屋といいましても、櫛笄《くしこうがい》のたぐいが専門でございましたところ、旦那さまが、紅白粉《べにおしろい》も扱ってみようか、ということになり、それで紅白粉所の藤屋藤助店と取引がはじまったという次第でございますよ」

「なるほど、それで手代をしていた清太郎に目をつけたか」

「はい。そのような事情でございますよ」

「ところで、その清太郎の両親というのは」

「はい。わたしにも詳しい事情は分かりかねますが、清太郎もまた天涯孤独の身の上だそうで……、おそらく旦那さまは、自分と同じ境涯の清太郎さんに、情が移ったのでございましょうな」

（ふむ！）

なにやらありそうだぞ、と喜平に虫が知らせた。

5

農村においては、年貢徴収のために厳格な人別帳が作成される。

しかし、江戸のような大都市の場合、毎年四月と九月に人別改めをおこない、これを町年寄役所に提出させることになっているが、きちんと実行されているとはいいがたい。

なおかつ、町年寄役所に報告されるのは、各町の総人数と男女別人数、家持《いえもち》、家主《いえぬし》（差配人）、店借の区別や父母や妻子などなどの区別、いわゆる〈人数書上〉と呼ばれるものであった。

しかも、それらが町奉行所に報告されることもない。

そうすると、その基本となる家族単位の氏名や年齢、檀徒として所属する寺院名を記した改帳が、どこに保管されているかというと、これがはっきりしない。

名主や庄屋のところに保管されている場合もあるし、町役人、あるいは自身番所、さらには家主のところで止まっているものもある。

一見、なんとも頼りなげな制度ではあるが、それはそれで痛痒《つうよう》なく、世間はまわる。

この改帳というのは、いわば戸籍の証明で、婚姻とか丁稚奉公や旅行などで、その土地を離れるときには寺請《てらうけ》証文を発行してもらう必要がある。

そんなふうに世のなかはまわっているのであるが、十年前、二十年前といった過去の記録を探し出すとなると、これが存外にむつかしい。

そのことを、喜平は長い岡っ引き生活で、いやというほど身に沁みていた。

殺された弥兵衛が、［河内屋］に奉公に出たのは、三十五年も昔、今も長屋が残っていればいいが、そうだとしても家主までが変わらずにいる、という保証はない。

結局は、足で稼ぐほかはないのだろう。

そう覚悟を決めたうえで、喜平は〈本所深川絵図〉を引っ張り出して、友七から聞いた弥兵衛の父親が住んでいたあたりをたしかめた。

〈道分稲荷〉とまでは記されていないが、切絵図に描かれた稲荷社は、そのあたりにひとつしかなかった。［本誓寺］という寺の北側だ。

翌朝、喜平は子分の内から六平《ろっぺい》と辰吉《たつきち》の二人を選んで隠居所に呼んだ。

下駄屋の倅である六平は下駄六《げたろく》、鼈甲細工師の倅の辰吉は亀辰《かめたつ》といって、数多い喜平の子分の内でも、粘り強い探索が得意であった。

下駄六と亀辰の二人に、かくかくと事情を伝え、深川海大工町付近の聞き込みに向かわせたあと、喜平は、いよいよ日本橋青物町へと向かったのである。

りんの玉

1

照降町《てりふりちょう》を突っ切って西堀留川《にしほりとめがわ》を渡り、左に折れて江戸橋を渡った。

右の眼下の魚河岸には、相変わらず舟が群れている。

雲ひとつない上天気といいたいところだが、太陽は微妙に滲み、空はどんより淀んでいた。

西方を望んだ喜平の目に、きょうも富士のお山は映らなかった。

浅間山の爆発から、まもなく一ヶ月が過ぎようとしているのに、一度たりとも富士の姿は拝めない。

だが――。

江戸橋広小路は、いつに変わらず人馬が行き来して、土手蔵や蔵地に荷を運び入れていた。

(世は、こともなし……か)

相変わらず米価や野菜は高値だが、心配された暴動は起こらずにすんでいる。

その江戸橋広小路から、二筋南に青物町はあった。

［藤屋藤助］店は二軒続きで、片やが紅白粉所、片やが薬種取次所で、いわば二足の草鞋《わらじ》を履く商人だった。

「以前に、手前どものところにおりました清太郎のことでございますか」

店先ではなんだから、と喜平を奥の小座敷に通して、紅白粉所の番頭が、やや上目づかいになって喜平を見た。

「その清太郎が、どうこうというのじゃねえが、ちょいと教えてほしいことがある。こちらに奉公に上がったのは、いつのことかね」

「ははあ……」

番頭はしばし首を傾げて、

「あれは、たしか清太郎が九歳のときだったと思いますよ」

「ふうん。すると十五年前のことだな」

「そういうことになりますか」

するとお［河内屋］の養子になるまで、清太郎はここで十三年間、住み込み奉公をしたことになる。

「在所は、どこだったい」

「は、在所でございますか」

またまた首を傾げた。

「おいおい、もしかして、おめえ、この店じゃあ新参者かい」

「いいえ、もう三十年この方、奉公させていただいております」

「十三年も勤めていた者を……そんなことも覚えていないのかい。在方《ざいかた》か、江戸者か、それとももっと遠国か、いずれにしても添え状を持参したか、あるいは請人がいただろうに」

「はあ、それはそうでございますが……あいにく、清太郎の在所のことや、請人が誰だったか、なにしろ十五年も昔のことでございますんで、とんと失念をいたしておりまして、まことに申し訳ございません」

「ふうん、しかし二年前に清太郎は、新和泉町の河内屋へ養子に入ったよな」

「はい、それは間違いございませんよ。河内屋さんと手前どもの主人で、きちんと話し合いもつきまして、手続きにも抜かりはございません」

「じゃあ、犬の子をやったり、もらったりするんじゃねえんだ。清太郎は、どこそこの、父親、母親はこうこうで、とそういった話が出るはずじゃねえか」

「ああ、それならば、清太郎は両親ともにいない、いわば孤児《みなしご》でございますよ。そのことは河内屋さんもご承知のうえで、養子縁組がととのいました次第で……」

そのことなら、すでに昨夜、友七から聞いている。

なんだか雲行きが怪しいぞ、と感じながら、喜平は押した。

「孤児にしても、養い親みたいな者がいるはずだ。清太郎が、ここに奉公に上がるにしても、請人なしでは雇いはしねえはずだ」

「それは、そうでございます」

「ならよう。そのときの請書を見せてくんな」

暖簾に腕押しのような問答に焦《じ》れて、喜平は強い調子でいった。

「はあ、では、ちょいとお待ちくださいませ」

いかにも困り果てたという顔になって、番頭が姿を消したあと、

（こりゃあ、訳ありだ……）

さほどなこともあるまいと、正面から押したが、これは失敗だったかもしれんな、

と喜平は感じた。

では、どんな手があるか。

そんなことを頭の片隅で考えながら、喜平は例の年表を取り出して眺めた。

清太郎が、この店に奉公に上がったのが十五年前――それは、［河内屋］の先代が亡くなる二年前の明和五年（一七六八）のことらしい。

喜平は矢立を取り出すと、そのことを年表に書き加え、手控えにも記すと、ぬるくなった麦湯をすすった。

番頭は、なかなか戻らない。

幸い煙草盆が出されていたので、一服、二服しながら、いろいろと考えをめぐらせた。

ようやく、番頭が戻ってきた。

座敷に座るなり、蟇蛙《ひきがえる》のように平伏した。

「おいおい、なんの真似だい」

番頭は頭を上げ、またも上目づかいになっていった。

「あちこち探しましたが、明和九年以前の綴りが見当たりません、このあたりも行人坂の大火で全焼をいたしました。おそらく、そのときの火事で焼失したものと思われます」

「ははあ」

　どいつもこいつも、同じような口実を使いやがる、

「清太郎の歳に近い店の者や、旦那様にもお尋ねしましたが、奉公前の清太郎の来し方につきましては、誰も知りません。ただ、なにをお調べかは分かりませんが、清太郎は真面目一本、たまの休日にも遊びに出かけもせず、貸本を読むくらいが趣味の男でございましたゆえ、決して悪事に走るような者ではないと思われます」

　一転、清太郎の弁護を、はじめたではないか。

（こりゃ、どういうことだ）

　にがにがしい思いで聞いていると、次に番頭、明らかに小判を包んだと見よかしの、包み金を、おずおずと畳の上に置いた。

「お役に立てず、まことに申し訳ございません。これは些少ながら、お詫びの印でございます」

「ふうん」

　こりゃ、金輪際、しゃべる気はないな、と喜平は判断した。

　奉公人にも、口止めをするはずだ。

「そういうことなら、仕方がねえな」

あっさり喜平は包み金をすくい取った。

（お……！）

五両か。えらく張り込んだものだ。

重さで、そう悟り、黙って懐にねじ込んだ。

「邪魔をしたな」

言って、立ち上がる。

金を突っ返す、という手もないではないが、これは受け取っておいて正解なはずだ、と喜平は胸につぶやいている。

五両という大金を包むからには、清太郎のことは、これ以上調べてくれるな、と告白しているようなものだ。

つまりは、この店には、それだけ後ろ暗いことがある。

もし喜平が金を突っ返しでもしようものなら、新たな工作に走られて、のちの探索に妨害が入る可能性もあるのだ。

2

［藤屋藤助］店を出た喜平は、万町《よろずちょう》を通って日本橋袂の高札前に出た。

ここから南へ、通《とおり》一丁目、通二丁目と大商店街が続く。

角の［西川近江屋《にしかわおうみや》］も、続く［白木屋《しらきや》］もたいした客の入りだ。

通りでは放下師《ほうかし》が小切子《こきりこ》（細い竹の棒）で拍子を取りながら、面白おかしい口上で売り物をしていて、人の輪ができている。

米価高直《こうじき》とはいいながら、大江戸の繁栄に、いささかの揺るぎも感じられない。

通二丁目の途中に、江戸城の方向に入るやや細い横道があって、喜平の足はそちらに向かった。

元大工町新道《じんみち》、呉服町新道と続いて江戸城外濠《そとぼり》べりに出る新道である。

その元大工町新道の途中に〈谷房稲荷《やつふさ》〉というのがあって、その向かいに［かしふほや］という、なんとも不思議な屋号の店がある。

間口が五間（九メートル）もあろうかという大きな店だが、昼間のうちは障子という障子を開けっ放しにしていて、店番は一人か二人、めったに客の姿を見かけることもない。

それもそのはず、一階は総土間で、蕎麦屋台からおでん屋台、寿司屋台に天麩羅屋台、ありとあらゆる屋台が並んでいる。

ここは江戸でも唯一の貸し屋台店なのであった。

自前の屋台すら持てない者に、安いものなら一昼夜二十文で屋台を貸し出し、あるいは中古屋台を売りもするという商売で、大工であった先代が、屋台を造ってはこの商売をはじめたそうだ。

店名の由来はというと、屋台のことを浮舗《ふほ》ともいう。

それを貸すから、貸し浮舗屋、すなわち「かしふほや」である、とは二代目の主人である徳治郎《とくじろう》から聞いた。

「帆柱の喜平という者だが、谷房《やつふさ》の親分さんはいらっしゃるかね」

土間の縁台で、将棋を指していた年寄りと若い店番に声をかけた。

「あ、こりゃあ親分さん」

見覚えのある年寄りのほうが、あわてたように立ち上がり、

「その節は、たいそうお世話をかけやして」

ぺこんと頭を下げて、若い店番に、

「帆柱の親分がお見えだ、と旦那に知らせな」

「へい」

喜平には覚えのない若いのが、奥の階段のほうへ駆けていった。

「どうだい。傷のほうは、もういいのかい」

「へえ、すっかり。その節はありがとうございやした。今はこうやって、ここの店番を務めさせていただいておりやす」

「そうかい。達者でなによりだ」

ここの主の徳治郎は、日本橋南の北半分を縄張りとする岡っ引きで、谷房稲荷前に住んでいるので谷房の親分と呼ばれている。

五年ばかりも前、ある事件があって、谷房の親分の子分が探索中に、危急に陥ったことがあった。

絶体絶命、あわや命を落としかけたところを喜平が救ったことがある。

その子分というのが、目の前の老人であった。

「おや、こりゃあ、お珍しい」

図体が大きく、恰幅《かっぷく》のある徳治郎が出てきた。

挨拶もそこそこに、

「ちょうどいい、近所にいい店ができたんだ。ちょいとつきあってくんねえか」

案内されたのは、つい目と鼻の先の呉服町新道、［三島屋］というこぢんまりした店で、表の看板には〈大かば焼〉とある。

（てへ……）

四ツ（午前十時）はとうに過ぎていたが、まだ小腹も減っていない時刻に、鰻の大蒲焼きというのは、ちょいと手に余る……。

そんなことを思っている喜平に、

「ここのは、注文してから出てくるまでが小半刻（一時間）じゃあきかない。ゆっくり話ができるぜ」

谷房の徳治郎は、喜平の腹を読んだようにいった。

まだ客の一人もいない店に入るなり、

「二枚頼むぜ。それから、よく冷やした酒をな」

言って、奥の小上がりに喜平を招いた。

「帆柱の、おめえ、店のほうは隠居したっていうな」

「ああ、五十になったんで、あとは倅にまかせることにした」

「ふうん。で、歯のほうは、まだ達者かい」

異なことをきく。

「そりゃあ、うらやましい。俺なんざ、まだ五十前だというのに、奥歯がみんな抜け落ちて、まだ前歯があるからいいようなもんの、そのうち、入れ歯になりそうだ。歯ぁ、目ぇ、まらというから、お先まっ暗だ」

「おかげさまで」

「そりゃあ、気の毒になあ」

「朝から晩まで粥に豆腐、というのもつらいもんだ。ところがよう、そんなところに、この店ができた。どこをどうやるかは分からねェが、これが、めった柔らけえ。前歯だけでも食えるのよ。それで、日参しているという次第」

「ほう、そういうことかい」

話しているうちにも、大徳利に入った酒がきた。つまみといえば、醤醢《ひしお》を載せた小皿と実山椒だけである。

酒は徳利ごと流水にでも晒していたものか、すっきり冷えて、喉ごしがよい。

「こりゃあ、いい。つい、飲《や》りすぎちまいそうだ」

目を細めたが、酒を楽しみにきたわけではない。

「実は、青物町にある紅白粉所からの帰りでねえ」

と、切り出すと、

「そうか。やっぱり、河内屋の一件かい」

蛇《じゃ》の道は蛇《へび》、打てば響くように徳治郎は答えた。

「実は、河内屋の養子で清太郎というのがいるんだが……」

「うん。元は藤屋藤助店の奉公人」

「そう、その清太郎のことを尋ねにいったんだが、ぬらりくらりと逃げられた挙げ句に……」

「金でも包んだかい」

見てきたようなことを言う。

通一丁目から四丁目にかけて、櫛比《しっぴ》する商店から大きな信頼を寄せられている谷房の親分なら、なにか知っているのではなかろうかと思った喜平の見込みは、大当たりだったようだ。

3

喜平は大徳利から、徳治郎の酒茶碗に酒を注ぎ込みながら言った。

「清太郎というのは、天涯孤独の孤児《みなしご》だというが、どのようないきさつで藤屋藤助店に奉公できたものやら、谷房の親分、なにか耳にしたことはねえかねえ」

次には、自分の酒茶碗にも酒を注ぎながら尋ねた。

「うーむ。そうさねえ」

小さくつぶやきながら、徳治郎は唇を尖らせて、ちびりと酒を飲んだ。

「普段よりお世話になっている旦那衆の店だ。守りはしても、害になる話はできねえ」

「そりゃあ、谷房の親分のいいなさるとおりだ」

喜平だって、そうする。

「しかし……」

徳治郎は酒茶碗を置いた。

「帆柱の親分には、以前に大きな借りがある。独り言だと思って、お聞きなさるか」

「ありがてえ。義理は守るぜ」

徳治郎から聞いたとは他言しない、といったのである。

「実は、それにゃあ、三三角《さんさんかく》が絡んでいるぜ」

「えっ、三三角……、つまり、直三《なおさん》……直助《なおすけ》の三太郎《さんたろう》のことかい」

「うん」

徳治郎が顎を引いた。

深川の油堀河岸《あぶらぼりがし》に深川三角屋敷と呼ばれるところがある。

土地の形状からついた地名だが、そのあたりに、〈直助《なおすけ》〉と呼ばれる岡場所があっ

直助へやれとは、へんな柳橋

という、川柳がある。

柳橋から、わざわざ猪牙《ちょき》で行くような上等なところではない、と皮肉っている。

なぜ〈直助〉というかは、元禄の快挙（忠臣蔵）に関連する。

赤穂藩《あこう》、浅野内匠頭《あさのたくみのかみ》の家臣、小山田庄左衛門《おやまだしょうざえもん》は仇討ちの盟約に加わっていたが途中で逃亡、変名して医者になりすましていた。

ところが、これを不忠と恥じた下男の直助に殺された。

その殺害場所が深川三角屋敷のあたりだったので、それ以来、土地の岡場所は、直助と呼ばれるようになった。

その地に、深川一帯を根城にする岡っ引きがいて名は三太郎、女房に曖昧宿《あいまいやど》をやら

せている。

屋号ではないが、暖簾にも提灯にも三角形を三つ描いたのを印としているから、三角で通る曖昧宿だ。

早い話が、三角屋敷と三太郎の名を合わせた印だ。

それでもって、三太郎の通り名は直助の三太郎、縮めて直三の親分、と呼ばれている。

あくどいやり口で、嫌われ者の岡っ引きであった。

「もう、十五年も昔の話になるが……」

［藤屋藤助］店の現在の主が、まだ若旦那で藤一《とういち》といったころ――。

藤一は酒癖が悪く、三三角で遊んだ挙げ句、相手の女郎に殴る蹴るの暴行を働き、大怪我をさせた。

それをネタに直三は、［藤屋藤助］店の先代を脅した。

先代に泣きつかれた谷房の親分は、間に入って直三と話をつけた。

「まあ、相応の額で話はついたのだが、もうひとつおまけがついていた。それが清太郎だ」

「ははあ……」

「清太郎の母親は、たしか、おひろといったか、海辺大工町あたりに住んで、本所松井町あたりの料理屋で働いていた女でなあ」

（海辺大工町！）

思わず喜平は身を乗り出した。

「清太郎は、いわゆる父《てて》なし子だ。おひろの母親は縫い物の賃仕事、おひろは仲居で、なんとか一家三人が暮らしていたそうだが、母親が死病を得て、どんどん借金がかさんでいった」

「…………」

「直三の野郎は、その借金の取り立てで母親が死ぬまで待ってやるからと、おひろに因果を含めた。おひろを五年年季で吉原に送って、清太郎をいずこかへ住み込み奉公に出すことで、借金をチャラにしようって算段だ」

「ふうむ」

「ちょうど折も折、おひろの母親が死んで、直三が清太郎の奉公先を探していたところに、藤一の事件よ。これ幸いと清太郎は藤屋藤助店に押しつけられたってわけよ」

なるほど、それがおまけか。

「一応、請人には直三がなったが、あのあくどい男のことだ。清太郎の何年分かの給金はせしめたようだぜ」

「ふうむ」

［藤屋藤助］店の番頭の話では、清太郎は休みの日にも遊びに出ず、貸本などを読んでいたという。

つまりは、無給で働かされていた、ということではないか。

「なんとも、いたたまれねえ話だなあ」

「ううむ……」

にがにがしい顔になって、徳治郎は茶碗酒を傾け、

「そんなわけだから、藤屋にとっちゃあ清太郎は、痛し痒しの存在で、といって請人が直三だから厄介払いをするわけにもいかねえ。気の毒なのは清太郎だ。ところが、その清太郎に養子口がきた。人生塞翁《さいおう》が馬というやつだ。俺ァ、陰ながら、喜んでいたのだがなあ」

「うーん」

それから徳治郎は、なにか問いたげな表情になったが、結局はなにも尋ねてはこなかった。

喜平も、なにもいわずにすませた。

［三島屋］の鰻の蒲焼きは肉厚で、箸でちぎれるくらいに柔らかかった。しかも香ばしくてうまい。

4

（いい店を教えてもらった）

微醺《びくん》をおびて喜平は、八丁堀南茅場町を抜け霊岸島に渡り、永代橋手前の高尾稲荷横の茶屋に入って冷えた麦湯を頼んだ。

直三の所に行く前に、少し酒の気を抜いておくつもりだった。陽はまだ高い。

火照《ほて》った頰を、川風になぶらせながら考える。

それにしても――。

（どんぴしゃ、だったなあ）

谷房の徳治郎は長屋の名前までは覚えていなかったが、清太郎の母、おひろが住んでいたのが海辺大工町だったと、はっきり言った。

しかも、清太郎は父なし子だったという。

生まれたのも、おそらく海辺大工町であろう。

一方、殺された［河内屋］の弥兵衛の父親もまた、海辺大工町に住んでいた。

そこが弥兵衛の生家だった可能性は高い。

弥兵衛が長吉であったころ、おひろと男女の仲になり――。

再び喜平は年表を広げた。

宝暦九年（一七五九）に、長吉は［河内屋］の婿養子となって、その翌年に清太郎が生まれている。

やはり、どんぴしゃりだ。

清太郎の父親は、弥兵衛にちがいない。

すると、どうなる……。

どう考えても、喜平には、ひとつの結論しか出てこない。

先代が死んで、［河内屋］の主となった弥兵衛だが、女房のおしのが殺され、一人息子を失って考えることといえば、昔に捨てた女に産ませた子供のことだろう。

（はたして喜平は、捨てた女……おひろが自分の子を産んだことを知っていたのか。

それも男の子だと……）

知っていたのだろう。

そう類推するほかはない。

知っていたからこそ、清太郎と養子縁組という形で、本当の親子が形式的な親子となったのだ。

ほかにも疑問は、川に流れる落ち葉のように次々と浮かぶが、いちいち立ち止まってはいられない。

「よし!」

声に出して、喜平は立ち上がった。

永代橋を渡れば、油堀は近い。


「ふうん。珍しい客がくるもんだ」

年のころは四十半ば、ふてぶてしい顔つきの直三が、皮肉っぽい口調でいった。

探索で深川に足を踏み入れる際には、一応筋だけを通しているが、淡きこと水のごとし、といったつきあいでしかない。

「商売繁盛のようで、なによりだ」

三三角は、このあたりでは粒ぞろいの女を揃えた高級店で、七匁五分(二朱)をとる。

まだ陽も高いうちから、客の入りはよさそうであった。

「まあ、一服どうだい」

直三が、螺鈿細工《らでんざいく》の高価そうな煙草盆を押しやってきた。

「お、すまねえな」

素直に一服つけ終わったのちにいった。

「話というのはほかでもねえ。ちょいと教えてもらいてえことがあってね」

「ふうん。教えてやれることかねえ」

「恐縮ながら、十五年も昔の話だ」

「ずいぶんと古いなあ。忘れていなきゃあいいが」

「ぜひにも、思い出してほしいんだ。これは僅かだが礼金だぜ」

喜平は［藤屋藤助］店の番頭からせしめた包み金を、そのまま煙草盆に乗せて押しやった。

「ふうん」

ちょいと持ち上げ、少しばかり表情が動いた。

中身が五両と知ったのだろう。

あれこれ駆け引きはしたくない。直三のような男には、金しかない。

「ずいぶんと張り込んでくれたもんだ。で、なにを話せばいい」

「九歳になる清太郎を、青物町の紅白粉所に奉公に出したときの話さ」

直三が目を剝いた。

だが、落ち着いた声音で答えた。

「そういやあ、そういうこともあったなあ」

「母親の名は、おひろ、たしか、そうだったよなあ」

「それに、ちげえはねえが……」

次にはさぐるような目になった。

「まずは、元のヤサが知りてぇ。海辺大工町の、なんという長屋だったい」

「ありゃあ、海辺大工町のうちでも高橋組西側の、甚太郎店《じんたろうだな》だったぜ」

海辺大工町は東西に広いため、万年橋のほうから、上町、仲町、裏町、高橋組西側、といったふうに、七つに分かれている。

「そうかい、甚太郎店だな」

「無駄足を踏ませちゃ申し訳がねえから、教えておくが、もう、その長屋はとっくにねえぜ。なにしろ、十五年も昔のことだからなあ」

「そうなのか」

「十何年か前に、夜中に火事があり、あたり一帯が燃え、多くの焼け死にが出た。それで地主も家主も町代も、みんな代わっちまって住民も散り散りだ。自身番屋まで燃えちまったものなあ。だから当時のことを覚えているやつは、ほとんどいねえだろうなあ」

「ふうむ……」

そんなぬるかな、と喜平は思った。

やんぬるかな、と喜平は思った。

そんな喜平に、直三は上機嫌な顔つきになって、

「ほかにも、あるかい」

「清太郎のおふくろは、五年年季で吉原に入ったそうだが、その後の消息を知らねえかい」

「おう。おひろなら、無事に年季をつとめあげて、ここを訪ねてきたぜ」

「おっ」

「婆婆《しゃば》には戻ってきたが、ほとんど一文無しだ。倅にこれ以上は迷惑をかけたくないんで、ここで使ってくれ、と頼みにきたんだよ」

「ふむ」

「しかし、もうとっくに三十を超えているし、とても、ここでは使えねえ。それで近くの局《つぼね》見世に、自前女郎として世話をしてやったんだが……」

経営者に場代を払って稼ぐのが自前女郎だ。

「身体をこわしているのを隠していたんだろうなあ、二年ばかりで、ぽっくり逝っちまった」

さすがに直三も、しんみりした口調でいって、続けた。

「哀れなもんだ。もちろん清太郎にも知らせ、ささやかながら弔いを出してやったぜ」

「そうか。清太郎にも知らせてやったか」

なんだか、気が萎えた。

ぷっつりと、糸は途絶えたのだ。

「ありがとうよ。邪魔をした」

「そうかい。役立たずですまなかったな。また、いつでも訪ねてきてくんな。それはそうと、近ごろ売り出された〈りんの玉〉なあ」

思いがけない話題に、立ち上がりかけた喜平の腰が止まった。

「なんとか入手したいんだが、品切れが続いておるそうな。次の土産に所望してよかろうか」

「考えておこう」

いって喜平は立ち上がった。

玄宗《げんそう》皇帝が楊貴妃《ようきひ》をご寵愛になるときに用いたという性具がある。女性の秘所に入れて交合すると、妙《たえ》なる音が出るという。緬鈴《めんれい》というそうだ。また明の笑笑生《しょうしょうせい》が書いた『金瓶梅《きんぺいばい》』では、勉鈴《べんれい》の名で出てくる。長崎にも、その実物が、ときおり入ってくる。二個の金属製の玉が組み合わさったものだ。

喜平の伜の喜太郎は、かねがね、その研究と試作を繰り返していたが、ついに完成させた。

そこで〈りんの玉〉の商品名で、この春に四目屋道具として売り出したところ、これが大評判となって、あっという間に売り切れた。なかなか手間暇のかかる商品なので、ある程度、数が揃うまで品切れ状態が続いている。

それを、直三は所望だという。

「おきゃあがれ」

三角が三つ白抜きにされた海老茶長暖簾を潜り出たあと、喜平は吐き捨てるようにいった。

5

日が暮れても、下駄六と亀辰の二人は戻らなかった。

(悪いことをしたなあ)

二人の子分に、弥兵衛の父親が住んでいた長屋の探索や聞き込みを命じたが、その長屋のことは、結局のところ喜平のほうが先に探り当てた。

長屋は今やもう、跡形もない。

海辺大工町でも高橋組西側にあった甚五郎店というから、きのう河内屋の番頭から聞いた道分稲荷近くの長屋と同一であろう。

つまりは、弥兵衛を名乗る前の長吉は、清太郎の母親のおひろと、同じ長屋の幼馴染みであった、ということだ。

三三角を出た喜平は、よほどその足で、海辺大工町付近を聞き込んでいるはずの子分たちに、そのことを知らせようかとも思ったのだが、なにやら、すっかり気が抜けて、横山町の隠居所まで、まっすぐに戻ってきてしまったのだ。

「おい、おてる。下駄六と亀辰の分も、飯の支度をしてやっちゃあくれねえか」

いって喜平は、夕飯も食わずに二人を待った。

そろそろ五ツ（午後八時）の鐘がなろうかという時刻、ようやく二人が戻ってきた。

「遅くまですまなかったな。さぞ腹が減ったろう。飯の支度をしてあるから、思う存分に食え、それとも酒にするか」

ねぎらい、とにかくは二人の報告を聞いた。

二人は、自身番や現在の長屋の家主に地主、町役人や近在の寺などもあたり、古老も訪ねて、昔に火事で焼けた甚五郎店の名を突き止めていた。

さらには、近所に散らばる船大工たちを一軒一軒訪ねたそうだ。

飯をかっ込んでいる亀辰を横目に、酒好きの下駄六が、酒を飲み飲み、いった。

「長吉の父親の矢兵衛を覚えている年寄りを見つけ出しましてね。へい、長吉は同じ長屋に住んでいた娘、といっても娘の名までは覚えていやせんでしたが、矢兵衛の葬式のときに娘と再会して、それがきっかけで……」

二人が忍び会う姿を、何度か見かけたという。

ところが、ぱたりと長吉は姿を見せなくなり、娘のほうは、どんどん腹がふくれていったという。

「とんでもねえ男《やつ》だと、その爺さんは、えらく怒っておりやしたぜ」

「よく、聞き込んできたなぁ」

さすがに足で稼いだだけあって、当時の事情が鮮明になった。

「実は、もうひとつ、おかしなことが……」

飯茶碗を置いて、今度は亀辰が話しはじめた。

「なんだとう!」

下駄六もくわわっての亀辰の話を、すべて聞き終わってから、喜平は呆然となった。

海辺大工町高橋組西側を中心に、下駄六と亀辰は聞き込みを付近一帯に広げていったのだが——。

その行く先ざきに、一人の男の影が残っていた。

その男は、昔に甚五郎店に住んでいた女と、その家族の消息を尋ねてまわっていたそうだ。

ある者は、それが四年ほど前だといい、またある者は三年前だといい、いや、その男なら何度も見かけたという人もいる。

年のころなら四十半ば、大店の主人ふうで中肉中背、左目尻に泣きぼくろ……。

「そりゃあ、弥兵衛じゃねえか」

「へい、あっしらもそう思いやした」

つまり弥兵衛は、おひろと清太郎の消息を、何年もかけて探していたことになる。

（そうか）

［河内屋］の番頭の友七は、跡取りの千代蔵を亡くしたあとの弥兵衛が、ときおり店を空けるようになったといった。

友七は、それを弥兵衛が遊びをはじめたと勘ちがいしたようだが、弥兵衛は清太郎を探していたのだ。

極めつきは、亀辰の話だった。

「弥兵衛と思われる男は、自身番屋に何度も繰り返しやってきていたようですが、三年ほど前、ここらあたりの親分さんは誰ですかと尋ねてきて、それが最後だったそうでござんすよ」

これが、喜平を呆然とさせた。

「野郎……！」

次には、思わず歯ぎしりした喜平に、亀辰は亀のように首をすくめた。

歯ぎしりをしたあと喜平は、ただただ深い溜息をついて、己の未熟さを反省した。

直三から、清太郎の母親が死んで弔いも出したと聞いて、ぷつんと糸が途切れたと思った。

だが、まだまだ糸は切れてはいなかったのである。

（どうして、あのとき、もう少し突っ込んでおかなかったのか）

自分の甘さに腹が立った。

おひろや清太郎の消息を探しあぐねた弥兵衛は、あるとき、深川を縄張りにする親分ならば、なにか知っているのではないかと思いついた。

そしてついに、直三の口から、その消息を知ることができたのである。

（ちくしょう！）

なるほど五両の礼金をせしめた直三は、喜平が尋ねたことには、正直に答えた。

だが、聞かれないことまで教えるような男ではなかった。

「また、いつでも訪ねてきてくんな」

別れ際にいった直三のことばの裏には、いずれまた、喜平がやってくるにちがいないとの含みがあったのだ。

そしてわざわざ、その折の土産まで指定しやがった。

手元の飯茶碗に酒をなみなみと注ぎ入れ、一息に飲んだ喜平に、下駄六も亀辰も青菜に塩のようになっていた。

愛憎ない交ぜ

1

三日ばかりも、喜平は考えた。

考えに考えて、またも「うーむ」と溜息を漏らす。

やはり弥兵衛は、三三角の直三から清太郎の消息を教えられたのだ。さぞ金がかかったろう。

喜平は、〈りんの玉〉五組をむしり取られた。

殺された弥兵衛と、養子の清太郎が実の親子であったことは証明できた。

だが、そこから先が進まない。

蘭三郎の絵解きに必要不可欠な傍証は固まったが、動かぬ証拠、というものは皆無なのだ。

第一、凶器さえも発見できていない。

おそらくは、新和泉町と桜木町の間で捨てたのであろうが、途中には川もあれば竹藪もある。

とても、見つけ出せるものではない。

残るは、絵解きだけで清兵衛を自白に追い込めるかどうかだ。

だが、いつまでも手をこまねいているわけにもいかない。

喜平は手下に、臥煙の利助とその子分たちの動向を探らせ、邪魔が入りそうにない日時を選んで［河内屋］に向かった。

利助は、まだ清太郎に疑いの目を向けてはいない。

そんなのが絡んでくると、ややこしいことになる。

久しぶりに清太郎に会って驚いた。

やつれている。

頬はこけ、ずいぶんと痩せた。顔色も悪い。

「どこか、具合でも悪いのかね」

「いえ」

清太郎は、小さな声で答えた。

「そうかい。ところで、今回の事件が、どういうことであったのか、だいたいの見当がついたのでね」

「そうですか」

清太郎は、驚きもしなかった。

「ところで清太郎さん、あんたのおっ母さんは、海辺大工町、甚五郎店に住んでいた、おひろという人だね」

「さようでございます」

「うん。で、あんたは養子ということになっているが、実の父親は弥兵衛さんだね」

「はい」

悪びれるでもなく、訥々《とつとつ》と答える。

「それを、いつ知りなさったね」

「養子に入るとき、これこれと事情は聞きました。世間体のこともあり、今さら実の親子とは名乗れないからと説明を受けて、納得ずくのことでございますよ」

「ふうん、そうかい」

清太郎は、ちらりとも尻尾を見せない。

そこで喜平は、乾坤一擲《けんこんいってき》の賭けに出ることにした。

「ところで清太郎さん。蔵の予備の鍵が見つかったそうだね。なんでも隠し戸棚の中にあったとか」

「はい」

「ちょいと、その鍵を見せてはもらえねえかね」

「親父の居室にございます」

部屋を変えた。

清太郎は襖を動かし、上桟のところを指さして、

「ここに隠し戸棚がしつらえられておりました」

「ほう、ほう、こりゃあ、見事なものだねえ。誰にも分かるものじゃねえ。ちょいと鍵を出してもらえやすか」

清太郎が取り出したのを、手拭いで受けた。

「まあ、座りやしょう」

清太郎を座らせ、自分も座って、しげしげと鍵を見た。

矯《た》めつ眇《すが》めつ、穴が開くほど見つめた挙げ句に、つぶやくように言った。

「おや、こんなところに泥がついてるぞ」

小さく清太郎の眉が曇ったが、それ以上の反応はなかった。

実のところ、どこにも泥などはついていない。念には念を入れて拭き取ったにちがいない。

喜平のはったりは空振りに終わったようだ。

次には、ドスを利かせた声でいった。

これで落ちてもらわねば、もうなすすべはない。

「なあ、清太郎。蔵の中で弥兵衛を刺したのは、おまえだろう。弥兵衛は、そんなおまえを庇って逃がし、挙げ句に命を落としたんだ」

「とんでもない。なんてことをおっしゃるんですか。実の父親を刺すなんて、そんなことがあるわけが……」

清太郎が、はじめて感情を剝き出しにして頭から否定した。

（万事休す、か……）

苦い敗北感を覚えながら捨てぜりふを、それでも静かに言った。

「なあ、清太郎さん。天知る地知る人が知る、っていうだろう。きょうのところは、おとなしく帰《けえ》るが、おまえさんもよくよく思案をなさることだ。自首をすりゃあ、おかみにもお慈悲というものがあるんだからなあ」

2

二日後の昼下がりのことだ。

［河内屋］の小僧の昌吉が、清太郎の使いだといって、一通の封書を届けてきた。

さては一昨日に、頭ごなしに犯人扱いをした喜平への抗議書か、と思いながら封を開いた。

いかんせん、告白文であった。

（なんと……！）

思わず腰を浮かせかけた喜平だが、綿々と続く文の内容に、思わず目を奪われた。

（この文《ふみ》を……）

小僧に持たせて、清太郎は――。

そのまま逃亡したか、それとも……。

頭の片隅で考えながらも、喜平は文を読んだ。

宛先も、差出人の名もない。

最後の最後に、こう書かれていた。

願わくば読後の破焼を乞い奉る

と——。

「う一む」

しばし、天井を見つめたあと、喜平は二階に上がり、手文庫の底に文をしまった。

それから階下に戻ると、

「おてる。羽織を出してくれ」

「おや。羽織など召して、どちらへお出かけだい」

「いいから出せ」

「はい、はい。あんたはときどき、むつかしい。夏羽織でいいね」

ぶつぶついいながら、羽織を出してきた。

おてるの切り火で隠居所を出て、普段と変わらない足どりで新和泉町に向かった。

表から見るかぎり、［河内屋］になんの変化もない。

暖簾をくぐった。

番頭の友七を呼んで尋ねた。

「若主人は、どうしたい」

「はいはい」

ぐるっと店内を見まわして、首を傾げた。

「おい、佐吉さん。若旦那は？」

尋ねられて手代は、

「蔵の整理をなさるといわれて、まだお戻りではございませんが」

と、答えた。

（やっぱり）

喜平は目を閉じ、再び開いた。

「ちょいと呼んできてもらえねえかな」

なんでもないような口調でいった。

騒ぎは、すぐそのあとに起こった。

蔵の二階、ちょうど金箱があるあたりで、清太郎は首を吊って果てていた。

一通の遺書が、金箱の上に残されていた。

自死の理由は、ひと言も書かれていない。

ただ［河内屋］を、番頭の友七に譲るとだけが書かれていた。

鈴鹿の旦那からは、ずいぶんと責められた。

臥煙の利助からも嫌みを言われた。

小僧の昌吉が、喜平に文を届けた件だ。

「なんてことはござんせん。お手すきなときにお越しくださいい、と書かれていただけで……。長い間ぶら下がっているのがいやで、早く見つけてもらいたかったんでしょう」

「いいかげんなことを、ぬかすな。なら、どうして羽織なんか着込んでいった」

「一応はお招《よ》ばれで、ござんすからねえ」

「ふざけるな。もういい」

鈴鹿彦馬は癇癪を起こした。

もう長いつきあいだ。こうなったら、喜平が梃子《てこ》でも動かないことを旦那は知っている。

喜平にしても、口が裂けてもいうつもりはなかった。

死者に鞭打つことはない。

3

三日後は白露《はくろ》（八月節）にあたった。

「お！」

一ノ橋を渡りながら、喜平は気づいた。

西空遠く、くっきりと富士のお山が見えている。

（お久しぶり……）

心のうちに唱えた。

いよいよ空も清められたのか。

（この分だと……）

三日後の仲秋の名月を拝めそうだぞ、と喜平は思った。

長崎町二丁目裏通には、おりょうと蘭三郎の母子の家がある。

だが七ッ半（午後五時）に近いこの時刻、おりょうはすでに中洲新地の店に出かけているはずだ。

「ごめんよ」

風通しのために開けた障子の間から声をかけると、小女のおふでが、前掛け姿で奥から出てきた。

「あら、おじさん」

おふでを、ここの小女に世話したのは喜平だ。十二歳になる。

「飯でも炊いていたのか」

おふでが手にした、火吹き竹を見ていった。

「はい」

「そりゃあ感心だ」

「お菜も作るよ。卯の花の板さんから、昼間に習っているの。きょうは、蘭三郎さんの好物の揚げ出し豆腐に、炒り卵、おじさんの分も作ろうか」

「いや、それには及ばねえ。坊ちゃんはいなさるかえ」

「きょうは浜松町の道場へお稽古で、まだお帰りではないけど」

「そうかい。じゃあ、待たせてもらうぜ。こりゃあ、おめえへの土産だ」

「わあ、ありがとう」

まだまだ子供だと思っていたが、駄菓子を受け取るおふでに、自然に現われてくる科《しな》のようなものを感じた。

（ふうん）

蘭三郎が十四、おふでが十二、おりょうが戻ってくるまで男女が二人きりか……。

ちらりと湧き上がる取り越し苦労に、喜平は苦笑した。

待つほどもなく、蘭三郎が戻ってきた。

「ちょいと、外へ出やせんか」

おふでの耳には入れたくないので、外に誘った。

そろそろ夕暮れが近づく、南新河岸の船着場に腰を下ろした。

「例の河内屋の一件でございますが、坊ちゃんの絵解きどおりでございやしたぜ」

「お、ほんとうか」

「はい。ただ訳あって、御父君にも世間にも、あっしの一存にて隠蔽をすることにいたしやした。もちろん、お叱りは覚悟のうえでございやす」

「へえ。そりゃあ、よほどのことなんでしょうね」

「へい。坊ちゃんには、包み隠さず、申し上げますよ」

「もう、そろそろ、その坊ちゃんは、よしにしないか」

「ああ、こりゃあ、へい、承知いたしやした」

同心の息子というのは、早くに同心見習に上げるため、十二や十三歳で元服をさせることが多い。蘭三郎は、もう十四歳であった。

「まず、最初に申し上げるのは、清太郎は首をくって自害いたしやした」

「えっ」

「へい、そこにいたるまでを、これからご説明いたしやす」

弥兵衛と清太郎が、実の父子であると証明するにいたった、これまでの経過を喜平は逐一、語った。

それはとりもなおさず、父なし子として生きた清太郎の人生であり、また母親であるおひろの人生であり、河内屋へ養子に入った弥兵衛の半生でもあった。

そして、いよいよ喜平は、清太郎から届いた文の内容に触れた。

「あっしから犯人と名指しされた清太郎は、もはや逃れられぬと観念し、しかし、弥兵衛から引き継いだ店の名誉を守るために、必死の思いで、あっしの情にすがって、自らを処断したんでしょう。実は……」

清太郎は、つい最近まで、弥兵衛が実の父親だとは知らずにきたのである。

それが思いがけず、奈良井へ塗櫛の買付に出向くことになった。

初めての旅でもあり、また、養子とはいえ、はじめて責任ある仕事をまかされて、清太郎は正直喜んだ。

深川本誓寺《ほんせいじ》に眠る、おひろの墓参に出向いたのは、その喜びの報告と旅の無事を願うためであった。

ところが本誓寺に入ると、朽ちた卒塔婆《そとば》だけだったはずのおひろの墓標が、立派な墓に変わっている。

春の彼岸に墓参したときには、まだ卒塔婆だけであったのに、である。

驚いて住職に尋ねると、建立を依頼したのが弥兵衛だと分かった。

首をひねりながら店に戻り、そのことを尋ねた清太郎に、弥兵衛は、実は自分たちはほんとうの父子なのだよ、とはじめて告白した。

喜びよりも、これまで二十数年の自らの辛苦がよみがえり、清太郎は弥兵衛をなじった。

旅に出てからも、気分は鬱鬱《うつうつ》として晴れない。

はじめて女郎を買い、それを母に重ねて、かえっていたたまれない気分に陥った。

思えば父は、自分の栄達のために自分と母を捨て、そのため母は苦界《くがい》に身を落として若い命を散らしたのである。

憎い。

だが、実の父でもある。

愛憎ない交ぜとなって、清太郎は正気を失った。

どうにでもなれ。

破れかぶれで江戸まで戻ったものの、自分の落ち着き所が見つからなかった。

父親を許し、これからは憎しみを捨てて生きていこう。

そんなふうに心が定まったころには、もはや店の金を使い果たしている。

それで店から金を盗み、それを手に何食わぬ顔で戻ろうと決めた。

ところが思わぬ仕儀となった。

匕首《あいくち》は、いざというときに脅しのつもりで持っていったが、どうやって刺したのかも覚えていない。

やはり、父親への憎しみが残っていたのかもしれないが、それすら判然とはしない。

しかし、自分が父親を殺したことにまちがいはないので、あれ以来、死ぬことばかりを考えてきた。

父親には、あの世で詫びる。

虫のいい話かもしれないが、今回の事件ですべてが明らかになれば、［河内屋］が闕所《けっしょ》になるおそれもある。

そこで勝手ながら、ひたすら親分さんの情けにおすがりしたい。

「とまあ、そのようなことが書かれておりましたよ」

すでに夕焼けがきて、蘭三郎の顔は茜色に染まっていた。

「愛憎ない交ぜになって、ねえ」

ぽつりと答えて、こうもいった。

「その気持ち、分からぬではないなあ」

「………」

喜平は、なにもいえなかった。

蘭三郎は父の都合で、地蔵橋の屋敷に引き取られたり、また母の元に返されたりしている。

これまでなにも口にはしないが、それなりの屈託《くったく》はあるはずだった。

「おじさんは、いいことをなすったと思うよ。わたしも、このことは誰にもいわない」

なぜか、喜平は目の奥が熱くなった。

（こりゃあ、いけねえ）

「ま、ご報告にまいった次第で。では、これで失礼いたしやす」

喜平は静かに立ち上がった。

4

蘭三郎は、夜空を眺めるのが好きであった。

だが、このひと月ばかり、星の見えない夜が続いていた。

だが今宵は、久しぶりに星々が瞬く夜空であった。

（さまざまな人生があるものだ）

夕刻に喜平から聞いた悲話が、心のどこかにくすぶっている。

あれから蘭三郎は、二度、音羽塾を訪ねている。

そこで語られるのは蝦夷地のことばかりで、まだまだ蘭三郎には理解できないことが多かった。

しかし――。

なぜか気宇壮大、心が奮い立つような気分に浸れた。

蝦夷は広大な土地があるにもかかわらず、寒冷の地ゆえに、ほとんど農業がおこなわれていないという。

だが、同じ寒冷の地であっても、津軽では立派に稲作がおこなわれている。

蝦夷の地で、おこなえないはずはない。

そこで、蔵前の札差《ふださし》が資金を出して、北の大地を開墾して稲作を根づかせる。

そんな計画が進行しているようだ。

蘭三郎にとっては、思わず心が躍る話だった。

(北の大地か……)

蘭三郎の目は北天に向けられた。

北の一つ星は、すぐに見つけられた。

北辰(北極星)とも呼ばれる星だ。

北辰の左上には七剣星《ななけんせい》(北斗七星)、右上には錨星《いかりぼし》(カシオペア座)の五つ星が瞬いている。

(いつか……)

蝦夷地を開く事業で腕をふるってみたい。

憧れのように思った。

時代小説

二見時代小説文庫

北冥《ほくめい》の大地《だいち》　八丁堀《はっちょうぼり》・地蔵橋留書《じぞうばしとめがき》1

著者　浅黄《あさぎ》　斑《まだら》

発行所　株式会社　二見書房
東京都千代田区三崎町二－一八－一一
電話　〇三－三五一五－二三一一［営業］
　　　〇三－三五一五－二三一三［編集］
振替　〇〇一七〇－四－二六三九

印刷　株式会社　堀内印刷所
製本　ナショナル製本協同組合

落丁・乱丁本はお取り替えいたします。
定価は、カバーに表示してあります。

 ISBN978－4－576－12105－5
http://www.futami.co.jp/

二見時代小説文庫